MANIFESTO DO NADA NA TERRA DO NUNCA

LOBÃO

MANIFESTO DO NADA NA TERRA DO NUNCA

EDITORA
NOVA
FRONTEIRA

Editora Nova Fronteira Participações S.A.
Rua Nova Jerusalém, 345 - Bonsucesso - 21042-235
Rio de Janeiro - RJ - Brasil
Tel.: (21) 3882-8200 - Fax: (21)3882-8212/8313

CIP-Brasil. Catalogação na Fonte
Sindicato Nacional dos Editores de Livros, RJ

L776m Lobão, 1957-
Manifesto do nada na Terra do Nunca / Lobão. - Rio de Janeiro: Nova Fronteira, 2013.
il.

ISBN 978-85-209-3261-2

1. Lobão, 1957-. 2. Músicos de rock - Brasil - Biografia. 3. Música popular - Brasil. I. Título.

CDD: 927.824166
CDU: 929:78.067.26

AGRADECIMENTO

Eu gostaria de agradecer do fundo do coração às pessoas que me aturaram e me incentivaram durante toda a concepção deste livro: a Cristiane Costa (Cris), minha editora, por toda a sua ajuda, suporte, e por ter sido a pessoa que sugeriu escrevê-lo, e também a Xanda Lemos, Rose Borges, João Puig, Maria Odila e a minha querida Regina.

Dedico este livro à memória de meu pai.

SUMÁRIO

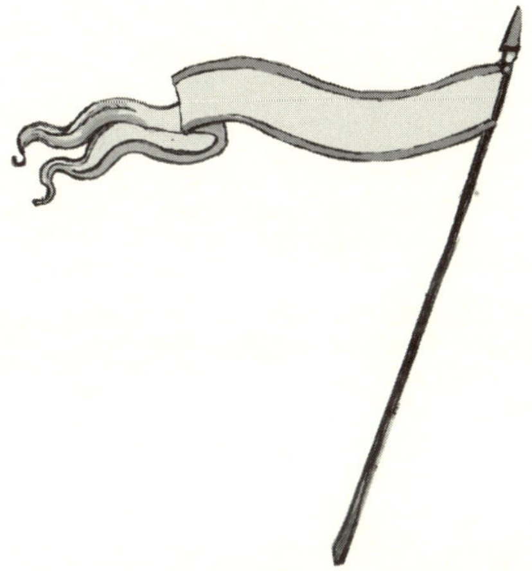

PRÓLOGO

AQUARELA DO BRASIL 2.0

Exilado, voava do futuro assobiando um réquiem.
Planava pelos desertos do esquecimento
sentindo uma saudade intensa,
que, de tão grande, curvava o espaço e o tempo.
Uma saudade não sei de quê, não sei de quem.
Deve ser efeito do exílio prolongado.

E na jornada de retorno,
deparo a Aniquilação,
como a encarnação da sedução,
esbanjando simpatia, docilidade e alegria,
pronta para sentenciar o fim dos loucos,
da vertigem, do voo e da ousadia.

A celebrar em êxtase a vitória dos simplórios,
a vitória da classe média endividada,
perambulando feito zumbi no shopping center, noite e dia.
Perseguindo, no vazio da virgindade existencial,
uma diversão que jamais sacia.

Acolhendo, em Seu seio,
playboys agrobregas a desfilar pelos rodeios,
arraiais e micaretas, caçando a língua das periguetes de
[abadá,
que coisa louca!
Transformando um contato exclusivo numa olimpíada de
[beijos,
colecionando triunfantes, bactérias, herpes e desejos,
como troféus de céu da boca.

A abençoar intelectuais, empanturrados de propinas
com suas ideologias fossilizadas, um monte de vaselina...
impondo goela abaixo um nacionalismo barato para
[universitários otários
regurgitarem pastiches viciados, repletos de vaidade
[imerecida,
ao som das mais horrorosas canções que ouvi na vida,
ao balanço dos mais grotescos rebolados.

Com a santa ignorância dos que defendem, cegos, suas teses
Acobertando num silêncio um tanto cínico, aloprados e
[bandidos
de um governo cheio de reveses,
catequizando suas verdades imutáveis e eternas,
a patrulhar, ameaçar, comprar, reprimir (quando não,
[simonalizar)
todos aqueles que não se alinharam
nessa patuscada triste que eles mesmos inventaram:
A Inveja da Pobreza. A cartilha do bom brasileiro.

A terraplanagem é por baixo e a laje é o limite,
[companheiro!

Para o inferno, vocês, proprietários dessas verdades de
[merda.
Fascismo não é monopólio da direita nem da esquerda.
Fascismo é imposição inflexível e truculenta de verdades
[sacralizadas,
geralmente por bem-intencionados perpetradas.
Estou farto de bem-intencionados. Além de nocivos, são
[cafonas.

E o Sol exibia uma crista vermelha de fogo,
como se tivesse extraído todo o sangue dos penhascos do
[mundo,
me levando no seu calor a rasgar o ar fazendo o vento
[soprar
meus farrapos alados, para além de qualquer segurança,
e, das alturas, mergulhar no abismo da garganta mais
[profunda
à procura da face perdida da esperança.

Você é dependente de ideias pré-fabricadas,
patrocinadas por um bando de salafrários autoindulgentes.
Você é um faminto de misérias embelezadas
que se alimenta de migalhas, a você atiradas
como um animal domesticado,
abanando o rabo, agradecido e contente.

Você faz parte de um rebanho de presas fáceis
repletas de sonhos fenecidos.
E eu? Eu sou o lobo do homem, uivando pra Lua,
sozinho, vencido.
Vencido, como se soubesse a verdade, mas livre,
Assustadoramente livre.

Você acredita em tudo que te mandam,
mas se ofende com tudo o que eu te digo.
Você esquece que a ofensa que vigora
é pura reação, castigo pelo castigo,
sempre em guarda cultivando essa paixão:
o ódio sem razão. Que perigo!
...engendrando o prejulgamento,
a ignorância, a irresponsável precipitação.
A ofensa é o expediente do imbecil.
Sangue e armadilha nos esconderijos do coração!

Não basta apenas esperar por leite e mel,
às vezes, pra ser bom, é preciso ser cruel.
O brasileiro é sempre um bonzinho.
Somos o povo mais sorridente do planeta,
esse eterno país da micareta,
apesar dos 50 mil assassinatos produzidos todo ano,
sem precisar de guerra civil nem de terrorista muçulmano.

Pelas estatísticas mundiais, para haver guerra civil,
é necessário matar, pelo menos, uns 10 mil.
Uma pechincha comparada ao montante macabro

do nosso número imbatível: 50 mil, 50 mil, 50 mil!
E terrorista? Quem, por aqui, precisa de terrorista?
Terrorista é coisa pra amador.
O Brasil é só para profissionais. O Brasil é o Terror!
O Brasil é o Terror!

O Brasil dos estupros consentidos na surdina,
dos superfaturamentos encarados como rotina,
dos desabamentos e enchentes de hora marcada,
dos hospitais públicos em abandono genocida,
dos subsídios da Cultura a artistas consagrados,
dos aeroportos em frangalhos, usuários indigentes,
dos políticos grosseiros, como sempre, subornados,
de cabelo acaju e seus salários indecentes,
da educação sucateada pelo Estado
em sua paralisia ideológica, omissa e incompetente.

Do racismo galopante, na internet,
nas universidades e nas ruas,
com as suas manifestações hostis.
Da queima de índios e mendigos,
por meninos bem-nascidos.
Do apedrejamento, vilipêndio e morte
de mulheres, prostitutas e travestis.

E lá vamos nós, descendo a ladeira!
Rebolativos, minhóquicos, supersticiosos,
crédulos, inabaláveis, venais...

amantes de uma boa trapaça...
com nossa displicência carnavalesca espetacular
e os repetecos anuais dos feriados enforcados de destruição
[em massa.

E não me venha com essa lenga-lenga do tipo
"não gostou, se manda! vai pr'outro lugar",
porque eu estou aqui para exterminar:
vossa hiponga modorra, vossa preguiça macunaímica,
vosso caráter vacante, vossa antropofagia cínica,
pois esse lugar também me pertence,
e ninguém vai me calar. Ninguém vai me calar.

E nas almas de artistas natimortos
em berço chapa branca e exangue,
ecoam as vozes dos cadáveres insepultos de sempre,
impondo língua morta a se eternizar
numa geração de frouxos engrossando sua gangue.

Frouxos, acometidos por
síndrome de dignidade intelectual.
Espalhando o evangelho da Mediocridade
para milhões de populares e estudantes semianalfabetos
com o beneplácito da imprensa oficial.

E no cagaço metafísico
das multidões de contritos telerredimidos
brota o pavor da morte, da vida, do sexo,
da doença, da pobreza e do castigo.

Fazendo bispos milionários,
gângsteres do paraíso,
lotearem pedacinhos do firmamento
para histéricos apocalípticos aguardarem
o fim do mundo fora de perigo...

Às vezes é mais exato ser impreciso, contradito.
Ser o Terror da próxima edição, a Corrosão, o Maldito
dos jornais que me inventam em manchetes
tentando me silenciar em vão.
Uma pena que nunca me enxergaram,
nem nunca me enxergarão...
É subestimando o inimigo que se perdem as guerras
e, por isso mesmo, agradeço a desatenção.

Pois agora é tarde e a Eternidade é Agora.
O brasileiro, com sua autoestima permanentemente
[precária,
vive adernando entre Ali e Outrora
num orgulho às avessas, que destrói
qualquer possibilidade de enxergarmos
o que verdadeiramente somos,
e isso dói.

Uma nação que se recusa terminantemente a crescer,
paralisada por um embevecimento geonarcisista,
[indolente e servil.
Bem-vindos à Terra do Nunca!
Bem-vindos a essa pocilga chamada Brasil!

E eu? Eu sou o Nada,
o Fim da vossa picada,
o Oblívio dos desatentos,
a Ira da reação,
o Exterminador de todos vocês,
bunda-moles de plantão.

Muito prazer! É chegada a vossa hora!
Comecem a rebolar como é do vosso feitio,
pois eu voltei para decretar o fim
dessa festa pobre que vocês armaram.
Dessa lambança de favorecimentos e apadrinhamentos
de causar náuseas, vômitos & arrepios,
desse imenso arraial brega, tosco e vazio,
um fim por mim ansiado, premeditado,
e já há muito tempo datado, tardio.

Agora, mãos à obra.
Estou na área e vamos começar.
Agora é necessário andar entre os pedestres,
viver as suas banalidades
e convocá-los, enfim, para o desafio
que é o delírio de viver e de voar.

CAPÍTULO 1

A TERRA DO NUNCA

Amamos a pobreza.

O que mais me impressiona é a quantidade de gênios que nossa cultura produz, a formular teorias incríveis no intuito de proteger esse patrimônio de que, tristemente, acostumamos a nos envaidecer. Isso gerou uma forma singular de autoengano: nos achamos especiais através dos nossos piores defeitos. Com esses defeitos, criamos uma cosmogonia em que o brasileiro é um ser gentil, sorridente, *pacífico*, malemolente (o suingue da raça) e único no mundo. E talvez sejamos mesmo, infelizmente.

Na procura por alguma explicação razoável dessa sistemática tendência à autoesculhambação totêmica, acabei por escrever este pequeno manifesto.

Este livro nasceu da minha necessidade de mergulhar na alma do brasileiro e levantar algumas questões: Por que tanto orgulho em troca de resultados tão pífios? Por que essa monomania de se forjar primitivo? Por que ser tão reativo a qualquer ideia que não seja a oficial aceita nos meios intelectuais? Por que cultivar de forma obsessiva um ideário falido em todo o mundo? Por que nos contentarmos com tão pouco? Por que o nosso pavor do lucro?

Uma das mais emblemáticas circunvoluções filosóficas que encontrei nessa intensa busca foi a teoria do déficit essencial do homem, cometida por Oswald de Andrade, em que ele nos mostra o porquê de o homem ser um subanimal entre todos os animais. Sim! Um elefante já está pronto para a vida adulta aos dois anos de idade enquanto o homem demora vinte.

Essa pérola foi achada num manuscrito chamado *O antropófago*, de umas 150 páginas, impressionante jornada pela história da humanidade em que Oswald, municiado de uma profunda erudição, nos brinda com exuberantes teses em relação ao grau de evolução da nossa espécie. O mais impactante é justamente quando ele apresenta a ideia do déficit essencial.

Contudo, o buraco é mais embaixo! Quando nos flagramos perplexos com a aparente excentricidade de seu raciocínio, Oswald nos monta uma emboscada sensacional e lança seu xeque-mate: o trabalho é fruto do homem inferior, pois o ócio é tudo o que o ser humano deseja.

O homem que habita regiões temperadas, que enfrenta as intempéries da natureza, seria forçado a perder seu precioso tempo inventando tecnologias para sobreviver ao rigor do clima e à inclemência das calamidades naturais, enquanto o homem da zona equatorial, como estivesse sendo cultivado no útero do mundo, aproveitaria a superioridade existencial para desfrutar 100% do ócio. O tipo de ser que não nasce: estreia.

Esse ser superior nunca teria a menor necessidade de entabular grandes empreendimentos, vivendo num feliz matriarcado primitivo, em que ninguém tinha muita vontade de saber quem era o pai de quem, numa comunhão tribal cósmica e se alimentando de seus inimigos, que, eventualmente, eram cozinhados e deglutidos com toda a cerimônia pela tribo.

Não gastarei tempo com detalhes desse manuscrito, pois o último capítulo será inteiramente dedicado a uma amistosa invasão ao *Manifesto antropófago*, e o foco deste primeiro capítulo é um panorama geral de nossa cultura e suas repetições de padrão.

Vamos mergulhar agora no perfil do rebento, herdeiro dessa esquisita filosofia que acabou inculcando uma monomania no nosso imaginário coletivo: o carola estatizado.

O INTELECTUAL DE ESQUERDA: UM CAROLA ESTATIZADO

Num clima de estupidez ideológica, estelionato intelectual ou, simplesmente, suborno, a grande parte dos artistas, dos cineastas, da imprensa e dos intelectuais está nocauteada. Quem ousa tecer algum comentário um pouco mais crítico sobre a realidade que nos rodeia acaba sofrendo violências morais e psicológicas, sempre no intuito de eliminar o interlocutor.

Como somos seres ungidos por uma natureza customizada que nos distingue do resto da humanidade, resolvemos optar por essa forma de perceber o mundo, absolutamente destacada de qualquer resíduo de razoabilidade. Somos o suprassumo da precariedade, a nata da malandragem agúlhica, de um nacionalismo chauvinista, e isso nos dá uma noção meio psicodélica de superioridade em relação ao restante dos outros meros mortais espalhados pelo planeta.

Talvez esse comportamento seja fruto de um tipo coletivo de bipolaridade em que a alegria é um imperativo maníaco-depressivo. Somos o povo mais alegre do mundo!

Nessa maneira singular de encarar a vida, nasce uma espécie muito peculiar que reina soberana na nossa terra, patrulhando incautos e dando carteirada nos descontentes, filha de um marxismo guarani-kaiowá de butique, uma espécie que, apesar de sua aparente e impositiva festividade carnavalesca, é a encarnação vívida da ofensa, da obtusidade e do recalque: o carola estatizado.

No meu caso particular, como sou uma pessoa praticamente desprovida de "cuidado" em me comportar na linha, vivo tropeçando em incidentes dos mais reativos possíveis. Um dia, após chegar de uma turnê, comentei no Twitter que estava irritadíssimo com a infraestrutura do país, as estradas federais numa buraqueira dos infernos, sem sinalização, sem iluminação, os aeroportos caindo aos pedaços, superlotados, voos atrasados, ou seja, não era algo que eu havia lido por aí: eu tinha acabado de vivenciar, de sofrer na pele a precariedade da parada.

Pois bem, por essa declaração, fui instantaneamente admoestado por ofendidíssimos legionários governistas a bradar que o Brasil está muito melhor, que nunca estivemos tão bem, que aquela declaração era puro preconceito, e, sendo assim, fui sumariamente diagnosticado como... brasilfóbico!

É a verdadeira Terra do Nunca, onde nos recusamos a crescer e com uma religião de Estado promovida por autoproclamados progressistas: os nossos carolas estatizados.

A MPB É UMA SIGLA DE PROVETA?

Vamos começar falando sobre o panorama cultural da nossa nação, atualmente zumbi (no sentido de morto-vivo, por favor), vamos dar uma olhada em como a nossa *intelligentsia* "pensa" o país: vivemos uma realidade delirante. Sim, temos sempre que recorrer ao passado, a uma hipotética era de ouro, que sempre está fora do nosso alcance temporal.

Querem saber por que eu penso assim? Pois bem, existe uma invariância de estruturas que governam o (des)conhecimento, sancionadas por uma cartilha ideológica, emulando um presente decalcado de um passado cenograficamente glorioso e impossível de ser superado. Na música, a MPB, sigla criada na época dos festivais para designar a produção musical de quem se alinhava ao pensamento de esquerda nos anos 1960 e para excluir os demais (sob todos os pretextos), é o exemplo típico de indução por meio da repetição obsessiva para dar a ideia de que a qualidade e a excelência do nosso cancioneiro, de que os grandes gênios e arautos da liberdade eram um fenômeno exclusivo daquela época e daquela sigla de proveta.

No final do século XIX, o intelectual brasileiro, órfão da monarquia, procurava desesperadamente construir uma nova identidade nacional a partir das condições reais da existência do país: a pobreza. Houve um grande fluxo de pesquisas e obras voltadas para o interior, mas sempre numa abordagem um tanto forçada, afetada. Na verdade, havia um certo incômodo em perseguir uma identidade brasileira tão diferente da realidade em que esses intelectuais bem-nascidos foram formados. E essa procura, a meu ver, jamais teve fim.

Assim, adentramos o século XX, vem a Semana de 1922 e seus conceitos revolucionários acabam por dar, vamos dizer, uma turbinada na imagem do índio civilizado, transformando-o num orgulhoso antropófago (entretanto, amável, matriarcal e gentil). Dessa maneira, o problema da tal identidade nacional foi ficando cada vez mais complexo, cada vez mais delirante, cada vez mais distante de qualquer tipo de realidade palpável.

Nascia um nacionalismo ensandecido do qual a grande maioria de nossos intelectuais e artistas jamais se livraria, tanto pela esquerda como pela direita. Roland Corbisier, um dos fundadores do Iseb, instituição sobre a qual comentarei logo adiante, costumava dizer que, antes do movimento modernista, o Brasil era simplesmente pré-história.

Escritores da década de 1930, como Graciliano Ramos e José Lins do Rego, tinham lá suas rusgas com a Semana de 1922 e alguns anunciaram a morte do modernismo, contudo, no final das contas, permaneceram focados na realidade brasileira como centro da questão. A mesma coisa ocorre com a geração de 1945: João Cabral de Mello Neto, Ariano

Suassuna, Guimarães Rosa, todos sempre voltados ao tema regional.

Nos anos 1950, nascia o Iseb (Instituto Superior de Estudos Brasileiros) e, com ele, uma terminologia que se tornaria muito familiar a todos nós nas décadas vindouras: o colonizado cultural, o alienado cultural, expressões cuja pujança ameaçadora equivaleria, em termos de ofensa, a ser chamado de reacionário ou de direita. Tudo em nome da "autenticidade cultural". Estava formada a espinha dorsal para o nosso cinema, teatro, literatura e música. As teorias do Iseb influenciarão tanto a esquerda como a direita, assim como o fez a Semana de 1922.

O elo vai se formando. Viveremos a época de ouro dos festivais, em que vários artistas como Geraldo Vandré, Gilberto Gil, Caetano Veloso, Chico Buarque, Macalé, Paulinho da Viola, MPB4, Os Mutantes, Raul Seixas, entre tantos outros, se lançaram. Apesar de haver um cardápio bastante eclético, o que se sedimentou no nosso imaginário foi o conceito de MPB e sua busca da pureza genealógica da canção brasileira.

Com a Revolução de 1964, o Iseb foi extinto e em seu lugar nasceu o CPC (Centro Popular de Cultura) da UNE. É nesse momento que os conceitos da MPB começaram a ficar mais claros. Justamente no governo Médici, a Semana de 1922 ganha sua devoção definitiva, se incorporando para sempre na cultura e no imaginário do brasileiro. Ossos do nacionalismo reativo.

Me lembro que, em 1972, nas aulas de moral e cívica e português, estudávamos a Semana de 1922 com um patriotismo religioso. Foi daí que comecei a entender mais a Tropicália, que, antes, admirava basicamente por ter guitarra elétrica e Os Mutantes. Mas concluí que, se a Semana de 1922 era boa para a Tropicália e para a ditadura militar, deveria haver algo de muito errado... comigo!

Voltando à MPB: pensamentos datados desenvolvidos pelo CPC e seus intelectuais de esquerda, mesmo naquela época, iriam configurar uma estética ultranacionalista que via a bossa nova como fenômeno de colonização cultural. Nomes como Tom Jobim, Dick Farney e Johnny Alf eram severamente taxados de americanizados. Com o tempo, a bossa nova acabou se integrando ao papauêra da UNE e, assim como a Tropicália e as "músicas de protesto", virou o que nós conhecemos por MPB. É o intelectual assumindo o papel de médium, porta-voz e embaixador do que considera e taxionomiza como "popular".

A MPB NA MINHA FORMAÇÃO, SUA ARISTOCRACIA, SEUS PÁRIAS

Durante a minha formação musical, eu tinha a nítida sensação de que qualquer compositor, cantor, cantora, banda, de uma maneira ou de outra, acabava sempre por sofrer recaídas da tal síndrome de dignidade intelectual de fundo nacionalista reativo. Sempre houve uma compulsão em buscar uma genuinidade inatingível no que é popular dentro da cabeça do intelectual, pois de popular mesmo essa alucinação coletiva não tem nada.

É o que Umberto Eco chama de falso absoluto, tipo a Vênus de Milo com dois braços.

Popular mesmo nos anos 1970 eram Odair José, Waldick Soriano, Lindomar Castilho, Benito de Paula, Paulo Sérgio, Antonio Marcos, Orlando Dias, Jane & Herondy, Roberto Carlos (na década anterior, a encarnação do roquenrou, o Rei da Jovem Guarda), assim como, nas décadas anteriores, Cauby Peixoto (que foi o primeiro cantor a gravar rock no Brasil), Nelson Gonçalves, Orlando Silva, Chico Alves, Silvio Caldas.

Entretanto, o que contava mesmo como status de artista da MPB eram cânones muito distantes do que realmente tocava nas rádios e vendia feito banana na feira. O filtro de qualidade, em busca da genealogia perfeita, passava por um travestimento de baixa energia, pretensioso, chato, muito chato. Essa técnica de constrangimento cultural é muito eficaz e vigora imutável até os dias de hoje.

Eu próprio fui contaminado algumas vezes, até me ver livre dela há bem pouco tempo.

Até mesmo meu amigo, padrinho e gênio da soul music, Tim Maia, acabou por fazer um disco dedicado à bossa nova devido a uns conselhos do falecido Almir Chediak (autor da popular série de livros com músicas cifradas chamada Song-Book). Não foi, definitivamente, seu melhor momento.

Um gênero bastante criticado pelos intelectuais, taxado de colonizado, foi a chamada soul music, depois black music, depois funk music, com grandes cantores e compositores do porte de Cassiano, Carlos Dafé, Toni Tornado, Os

Diagonais, Tim Maia, Sandra Sá, Black Rio, Luiz Melodia, maestro Erlon Chaves e Banda Veneno.

Poderíamos incluir aqui outras ramificações menos características da black music, o samba-rock, com o nosso querido Jorge, até então Ben (só ganhou reconhecimento mesmo quando foi catapultado para o sucesso internacional através de Sergio Mendes & Brasil '66 com "Mas que nada"), o Trio Mocotó, assim como Wilson Simonal e o movimento da pilantragem de Carlos Imperial.

Essa salada de subgêneros aprovados com alguma relutância pela *intelligentsia* veio desembocar no rap e no funk carioca.

O rap se estatizou. O funk ainda é considerado um pária cultural na sua poderosa anarquia.

Alguns nomes foram perseguidos, como Toni Tornado, Erlon Chaves (morreu logo depois do ultrajante sucesso do Festival Internacional da Canção de 1971, "Eu também quero mocotó", e sua antológica performance sexy com louras se esfregando nele) e Tim Maia, que todos do meio teimavam em chamar de malucão por emitir sinceras, precisas e ameaçadoras informações sobre as falcatruas da indústria do disco e do jabá nas rádios. Acabou morrendo sozinho, mas um ano depois vieram a gravar um daqueles abjetos tributos *post mortem*, realizado pela Som Livre, de que participei. Cassiano, outro gênio como cantor, compositor e arranjador, se tornou maldito, e Luiz Melodia, um maldito com algum reconhecimento da MPB.

Nos anos 1960 e 1970, Marcos e Paulo Sérgio Valle realizaram um sem-número de grandes músicas. Marcos fez o caminho inverso da maioria dos artistas do período: um tremendo pianista, grande compositor, veio da bossa nova e de canções de festival para se tornar mais "colonizado" com traços de soul music, jazz e rock, como no tema instrumental da novela *Véu de noiva*. Compôs também a canção do par romântico da mesma novela, "Teletema", além de "Mustang cor de sangue" e "Black is Beautiful".

Já Gal Costa (*Gal fatal* é um disco antológico gravado com o power trio formado por Lanny Gordin, Bruce Henri e Tutty Moreno) e Os Novos Baianos (*É ferro na boneca!*, com Baby Consuelo e Pepeu Gomes ensandecidos, era "pauleira hendrix", como se dizia em Arembepe) iniciaram suas carreiras com atitudes e sonoridades bastante acentuadas de roquenrou, mas, logo em seguida, a bossa, a brasilidade tropical preponderaram.

No início dos anos 1970, tivemos mais uma investida "conceitual" da MPB com o MAU (Movimento Artístico Universitário), encabeçado por Ivan Lins, Gonzaguinha e Cesar Costa Filho. Esse movimento foi alçado ao *mainstream* em um programa de televisão gravado originalmente na praia da Urca, o *Som Livre Exportação*, apresentado por Ivan Lins e Gonzaguinha.

Esse programa lançava também uma nova gravadora, a Som Livre, que tinha como meta exportar os novos valores do nosso cancioneiro, o melhor da MPB das novas gerações, mas acabou virando um selo da Globo para vender trilhas sonoras de suas novelas.

Considero, com todo o respeito, Gonzaguinha, ao lado de Edu Lobo, uma das figuras mais insuportáveis da nossa

MPB. Talvez o ser mais emblematicamente MPBístico que já habitou este país: músicas politicamente engajadas, uma certa alteridade sexual e alguns sambões maníaco-depressivos. Música para se ouvir comendo linguiça com cachaça. Agora, seu pai, o Gonzagão, era uma figura maravilhosa, além de um músico excepcional e único.

Cesar Costa Filho, surgido nessa mesma safra, virou compositor de sambas e canções de festivais. Ivan Lins iniciou a carreira cantando num estilo rascante, com um forte pé na soul music e canções como "Agora" e "O amor é o meu país", para, mais adiante, amenizar suas interpretações e evidenciar mais seu lado harmônico, se tornando muito respeitado internacionalmente como uma espécie de herdeiro de Tom Jobim.

No meio disso tudo surge um fenômeno que alteraria a história toda: Secos & Molhados. Seu primeiro álbum veio com uma linguagem única misturando rock, fado e poesia, somados à voz singular de Ney Matogrosso. Infelizmente, o segundo disco não obteve o mesmo sucesso e o grupo se desfez. Ney prosseguiu em carreira solo, mais voltada para a MPB.

Em meados dos anos 1970, também tivemos um tipo de tentativa de levante para tirar da Tropicália a hegemonia na MPB (leia-se Caetano e Gil, posteriormente parceiros na formação da misteriosa e impalpável Máfia do Dendê, expressão eternizada por Claudio Tognolli em uma reportagem investigando o sistema de "influências" da dupla), entabulado pela rapaziada do Ceará, Fagner e Ednardo, com a presença de Alceu Valença, de Pernambuco. Não deu lá muito certo:

Fagner optou por uma carreira de música romântica, Ednardo, com seu "Pavão misterioso", voltou para o Ceará, e Alceu, quando recebe prêmios por seu trabalho, é sempre enquadrado na categoria "regional". No final dos anos 1970, Zé Ramalho tornou-se o grande nome do segmento.

Ainda tivemos o último estertor da era dos festivais, o Festival Abertura, que lançou nomes como Djavan, Walter Franco e Alceu Valença. Djavan iniciou sua carreira fazendo sambas e depois foi sofisticando sua estética musical para se tornar também internacionalmente reconhecido. Walter Franco, poeta, compositor conceitual muito criativo, é reverenciado pelo underground, contudo não é devidamente considerado um genuíno artista de MPB. Alceu, que chegou com uma pegada de rock, é um artista versátil e habita várias áreas de música brasileira (mas ficou o rótulo).

Na sua penúltima versão, em 1981, o Festival Shell lançou a Gang 90 & Absurdettes e consagrou Guilherme Arantes, nosso Elton John, poderoso *hit maker* (que, na verdade, ganhou duas vezes no mesmo ano, pois além de vencer o festival com "Planeta água" ainda beliscou o segundo lugar como coautor-"fantasma" de "Perdidos na selva"). Guilherme se inseriu na dita MPB com o aval de Elis Regina, a maior voz do gênero.

Elis conseguia me emocionar por ser muito exposta, à flor da pele, com uma garra transbordante, técnica perfeita, sempre acompanhada por músicos fantásticos, mas, para ser sincero, de vez em quando me flagrava irritado com determinados cacoetes e alguma afetação, além do repertório quase sempre maçante que a caracterizou como musa da MPB.

Júlio Barroso, líder e idealizador da Gang 90, parceiro, amigo, agitador cultural de múltiplas facetas, poeta e visionário, morreu muito cedo, e com ele todas as minhas esperanças em tornar viável uma estética eletrificada, potente e livre de chavões preconcebidos como o da MPB.

O que se pode concluir com esse panorama é que temos arraigados em nossas entranhas vícios de autoimagem que nos arremessam ao mesmo lugar. Vivemos num presente contínuo em que os mesmos valores e as mesmas figuras se repetem ao infinito, sem que qualquer alteração relevante possa ser vivenciada.

Essa atitude monomaníaca é uma mentalidade concebida pelo filósofo revolucionário franco-argelino Frantz Fanon: a vocação histórica de uma burguesia nacional seria de "se negar enquanto burguesia, de se negar enquanto instrumento do capital, para se tornar totalmente escrava do capital revolucionário". Com esse discurso de esquerda idiota, fomos vitimados por uma vasta produção de canções dedicadas a traduzir a realidade do povo através do delirante e culpado ponto de vista do intelectual/artista da classe média, no sentido de doar uma verdadeira "consistência" a algo a que o povão não tinha o menor acesso, pelo que não tinha a menor empatia, muito menos interesse: a música de cunho social com letras que deveriam ser... inteligentes.

Daí a grande frase atribuída a Joãosinho Trinta: quem gosta de miséria é intelectual, pobre gosta é de luxo.

Agora, além das nossas atividades artístico-musicais, nosso imaginário coletivo também vive se retroalimentando de conceitos herdados de "heróis libertários", sempre os mesmos. Já repararam? É o Lamarca, o Marighella ou qualquer outro que se autoproclame um ex-guerrilheiro combatente da ditadura militar. Símbolos em repetição buscando uma performance ideológica e existencial que se afaste de qualquer desvio ou oposição da norma. A reação é a situação. Marcação cerrada.

Essa compreensão da palavra "libertário" ganhou contornos próprios e, não raro, transmite justamente o contrário de seu significado original.

O libertário é, na viciada compreensão generalizada, uma criatura que pegou em armas nos anos 1960 para impor uma ditadura no Brasil, com o álibi capenga de lutar contra uma outra ditadura. Qualquer ditadura é injustificável, e esse pessoal, com raríssimas exceções, teima patologicamente em negar esse singelo detalhe. Anseiam de maneira apaixonada que Cuba seja aqui.

Hoje em dia, não conseguir enxergar e abominar o que acontece em Cuba é, no mínimo, imoral, quanto mais apoiar! E o governo do PT é associado e cofundador do Foro de São Paulo (Lula & Fidel), que visa a implementar uma ditadura do proletariado continental, tipo uma União Soviética *chicana*. Tem gente que acha essa realidade, repleta de provas e fatos, uma simples teoria da conspiração.

HIPNOSE COLETIVA

Nossa lavagem cerebral vem desde a escola e a história é sempre a mesma.

Não nos ensinam história: nos ensinam a história oficial que o marxismo cultural dita, que o governo atual dita. Os livros de história brasileira são, em sua grande maioria, pura ficção ideológica, e isso não nasceu no governo atual. Já vem do final dos anos 1960, quando a gente aprendia, junto com aquele monte de hino, a cantar o cancioneiro da nossa MPB subversiva nas aulas de moral e cívica (matéria implementada pelo governo militar!).

Era surreal. Nos ensinavam hinos de todas as modalidades possíveis convivendo harmoniosamente ao lado de músicas de Chico Buarque! Uma sensação bastante esquizofrênica.

A Semana de 1922, com seu aspecto revolucionário, também era caso de curto-circuito mental, mas, se pararmos para pensar, não há atrito algum nesse tipo de pseudoparadoxo; são todos nacionalistas ferrenhos, e é este o elo da nossa história que se repete: o nacionalismo reativo.

Temos um imaginário coletivo sequestrado, hipnotizado e reformulado artificialmente. Qualquer um que estiver lendo este livro irá recordar seu aprendizado escolar e perceberá a presença invariável desse tipo de doutrina. Vou contar uma história emblemática e, creio, todos vocês passaram por situação semelhante, de uma forma ou de outra:

Quando fui obrigado a sair do Colégio Rio de Janeiro, para não repetir o primeiro ano do segundo grau (era assim que se chamava naquele tempo), meus ex-colegas que continuaram o curso vieram a ter aulas com uns professores comunistas e, de repente, do nada, começaram a apresentar sintomas esquisitíssimos (outros poucos que também entraram em contato com essa onipresença educacional só sobreviveram ao ataque por serem surfistas, fãs de roquenrou ou, simplesmente, espíritos mais livres).

Aqueles caras que ouviam comigo Led Zeppelin, Os Mutantes, Tim Maia, James Brown, Black Sabbath, Wilson Pickett, Curtis Mayfield, Ike & Tina Turner, Cassiano, Jorge Ben, Som Nosso de Cada Dia, A Bolha, Módulo 1000, Toni Tornado, The Who, Paulo Bagunça e a Tropa Maldita, Rolling Stones, David Bowie, Roberta Flack, Isaac Hayes, Som Imaginário, Sá, Rodrix & Guarabyra, Marvin Gaye, Velvet Underground, Beatles, Pink Floyd... magicamente, do dia pra noite, me apareciam lá em casa com Pablo Milanés, Chico Buarque de Hollanda, Mercedes Sosa, Milton Nascimento, Edu Lobo, Luiz Gonzaga Jr., Maria Bethânia.

Peraí... os meus amigos passaram por essa incrível metamorfose logo no início do ano letivo! Deixaram de ler frivolidades corriqueiras como *Eram os deuses astronautas*, *2001: uma odisseia no espaço* e, de uma hora pra outra, desandaram a me trazer, com os olhos marejados de emoção, novidades estapafúrdias para minha curta compreensão, coisas do tipo de *A ilha*, *O cavaleiro da esperança*, *Vidas secas*...

Trocaram seu guarda-roupa comum, seus jeans desbotados e seus tênis Rainha, por uma indumentária milimetricamente desgrenhada, uma barbicha na cara, uma sandália de couro, e passaram a adotar uma postura padrão de vítima latino-americana, a falar mal do irmão rico e malvado do Norte.

Começaram a frequentar botequins e ter o hábito de reclamar do mundo capitalista regados a linguiça com cachaça, com o Gonzaguinha de fundo musical, investidos de uma autoridade e de um conhecimento que, em absoluto, teriam tempo nem capacidade de possuir.

Estava flagrante que eram repetições de hipnotizados. Engrossaram o bloco da folclórica e decantada esquerda festiva, verdadeiros porta-estandartes da inoperância, genuínos leitores de rodapé. Pensavam em se engajar na luta armada. Me lembro que era muito chique vangloriar-se por ser maoista, dizer-se um apaixonado pela Revolução Cultural chinesa... Muito chique ser fã do Che e do Fidel. Diziam que nós, brasileiros, através da luta nos campos e nas cidades, com ações terroristas e total eliminação do porco burguês, ainda chegaríamos àquele estágio algum dia.

Eles só pensavam nisso. A meu ver, se tornaram uns pentelhos. Se transformaram em clichês ambulantes.

E os filmes? Deixaram de assistir a coisas como *As 24 Horas de Le Mans*, *Easy Rider*, *Woodstock*, para se enfurnar no Cine Paissandu, reduto de intelectualoides, e assistir inebriados de tédio a Jean-Luc Godard, Ingmar Bergman e aquelas pérolas do Cinema Novo. Por falar em Cinema Novo, Glauber Rocha seria dramaticamente defenestrado pela esquerda ao final de sua vida por querer tentar algum diálogo mais racional com o general Golbery. Foi "simonalizado".

E tome clichê...

Por minha vez, para fugir da repetência, minha mãe me matriculou no Colégio São Vicente de Paulo. Aí a coisa se intensificou, pois, apesar de ser um colégio de padres, era ostensivamente de esquerda. É meio difícil entender como religiosos haveriam de chancelar uma doutrina ateia que, desde sempre, queimava, sem a menor cerimônia, todas as igrejas por onde passava, mas... singularidades brasileiras...

Por pura intuição (não possuía nenhum discernimento do que realmente estava acontecendo comigo nem com o mundo, muito menos do que era direita ou esquerda), eu não abria mão do meu roquenrou, mas, mesmo achando chatos aqueles caras que mandavam no colégio, acabei relutantemente sendo influenciado pelo clima reinante e contraí a tal síndrome de dignidade intelectual, que consistia numa obsessão doentia por ser conscientizado, politizado e culto, em total repúdio ao que não era "sofisticado, engajado, brasileiro, latino-americano", ou seja, no caso, o rock.

Se você não aderisse imediatamente era taxado de reacionário, alienado, entreguista, burro e, pior, o golpe de misericórdia na libido em delírio de qualquer menino em plena ebulição testosterônica: não conseguiria comer ninguém!

Só quem era muito surfista, ou convicto da total falta de glamour daqueles chatos, estava livre da pressão. Tenho que confessar a vocês que fiquei completamente em cima do muro. Por um lado, aquilo era chato pra dedéu, mas, por outro, eu queria me enturmar, e isso, quando recordo meu dilema, me dá uma vergonha intensa.

Foi assim que vivenciei meus primeiros episódios de patrulha ideológica.

Aí eu desandei a ouvir jazz, música erudita, virei fã do Quinteto Violado, criado no seio do Movimento Armorial (um movimento que tinha como pretensão transformar a cultura popular nordestina em cultura erudita. Um de seus criadores foi Ariano Suassuna), tudo muito respeitável, digno e chato, muito chato.

No reino da MPB, consegui, a algum custo, ouvir Milton Nascimento (na verdade, só aguentei ouvir o primeiro *Clube da Esquina*, que possuía uma aura beatlelesca e tinha um monte de belíssimas canções), que inevitavelmente me fazia sentir uma depressão muito peculiar, uma melancolia estranha aos meus sentidos, como se tivesse tomado um porre de cachaça metafísico, sem nunca ter posto uma gota de álcool na boca. *Milagre dos peixes*, que, por sinal, tinha uma linda capa, era para mim uma fonte de eterna depressão e vitimização insuportáveis.

Me sentia impelido a gostar de algo que, definitivamente, não fazia meu gênero, que não fazia, nem nunca fez, parte da minha índole e de que, ao custo de muitos anos de dúvidas sobre a minha identidade cultural, por sorte, acabei por me livrar.

O fato é que, além da pressão do colégio, eu tinha um primo mais velho que admirava muito e que me aplicava (aplicar no sentido de apresentar, doutrinar) discos de jazz, música erudita contemporânea, música atonal (era muito respeitável gostar de peças eruditas contemporâneas sem tom nem ritmo definidos, que não se teria a menor condição intelectual de entender, muito menos de desfrutar). Sempre batíamos papos superprofundos com seus amigos, já naquele tempo terminando suas faculdades.

Os assuntos giravam em torno da filosofia maoista, da pertinência da Revolução Cultural na civilização ocidental, de filmes do Godard e do Glauber e de livros de arte de cunho marxista, como *Manifestos do surrealismo* (André Breton, além de terrivelmente chato, era um comunista que acabou expulsando um dos meus grandes ídolos do movimento, Salvador Dalí, o apelidando de Avida Dollars). Entretanto, mesmo com toda aquela pressão externa, jamais consegui ser um esquerdista completo. Alguma coisa dentro de mim fazia regredir todo o processo de conversão e, volta e meia, me flagrava em plena recaída ouvindo Humble Pie, Faces, T. Rex, Slade, Rita Lee, Led Zeppelin ou Black Sabbath.

Mesmo com toda a doutrina, apreciar Chico Buarque, Vinicius, Edu, Gonzaguinha, Maria Bethânia pra mim era simplesmente o fim da picada.

Eu juro que tentei de tudo e por tudo.

E olha que eu ouvia tudo isso dentro de casa, mesmo a contragosto, goela abaixo (mamãe ouvia varada de poesia e entusiasmo cívico aquela turma toda, adorava aquele sonzinho molenga, assim como toda dona de casa oriunda de uma classe média típica do que se poderia chamar de direita).

Estava acima do meu limite estético e moral ser canalha o suficiente para dissimular algum enlevo naquela palermice morna. Optava pelo silêncio resignado.

Agora, confesso a vocês que morria de medo de descobrirem o meu recôndito desprezo por essas tão cultuadas figuras. Passava o tempo todo sofrendo, sentindo remorsos, desconfiando seriamente da minha própria inteligência só porque achava aquela tal de MPB chinfrim, ressentida, anêmica e pífia. Cheguei até a imaginar que, quando crescesse, teria mais maturidade, mais cultura, mais sensibilidade para desfrutar daquela manifestação tão respeitada, sofisticada e unânime. Não era possível que só eu fosse incapaz de desfrutar daquelas obras-primas do nosso cancioneiro popular.

Mas isso não aconteceu.

Pelo menos até agora, em meus 55 anos, minha repugnância ao gênero permanece intacta.

Caetano e Gil eram diferentes. Mesmo sempre em cima do muro (naquela época era impossível detectar se eles eram da direita ou da esquerda, do rock ou da bossa nova, ou não), e apesar de terem iniciado suas carreiras de forma bastante conservadora, se destacavam do resto, talvez por terem pessoas como Os Mutantes ao redor ou, simplesmente, por serem mais espertos e interessantes que os outros.

Possuíam uma aura mais internacional, mais cosmopolita, mais urbana, o exílio que se seguiu era uma ideia romântica, subversiva, e a produção musical deles naquela época, para mim, fora, de longe, a mais criativa da carreira deles. No entanto, como não poderia deixar de ser, a Tropicália era um movimento decalcado da Semana de 1922.

Fui um fã ardoroso de Gil e Caetano desde criancinha até um pouco depois do término da puberdade. Justamente no momento em que percebi que a Tropicália era herdeira do conceito de antropofagia, meu interesse murchou.

Foi quando um fenômeno mundial veio cair como uma luva para esse meu dilema de dignidade intelectual: o rock sinfônico! O rock progressivo! No início, tive que me forçar um pouco para aturar aquelas músicas que duravam um lado inteiro de um LP, mas, ao imaginar que meu destino poderia ser muito pior, como engolir algo do tipo Edu Lobo, passei a colecionar com fervor todos os discos do Yes, Genesis, Emerson Lake & Palmer, Jethro Tull, Curved Air, Gentle Giant, King Crimson, que me fizeram cair de amores pela música erudita.

Tirava todos aqueles solos de bateria complicadíssimos com a maior boa vontade e logo passei a me interessar por violão clássico. Comecei a tocar freneticamente clássico, choro, baião, sarabanda. Tudo se concentrava na Pro-Arte, lá em Laranjeiras, ao lado do São Vicente, outra fábrica de fazer dodói nacionalista. Aprendi a tocar Villa-Lobos, Garoto, João Pernambuco, depois fui para a escolinha do maestro Guerra-Peixe e me enfurnei nas suas suítes nordestinas.

Não tenho, em absoluto, o que me queixar desse aprendizado. Eu realmente adorava aquele tipo de música. Aquele conhecimento todo só fez enriquecer minha musicalidade, minha forma de compor e uma visão mais ampla e positiva do Brasil. Aprendi muita coisa interessante e de muita qualidade, mas o nefasto naquilo tudo era a xenofobia patológica, a ânsia em perseguir uma brasilidade, que, no fundo, no fundo, estava completamente fora de mim. E isso me torturava. Me sentia um estranho, um inadaptado, sem cultura própria, um ser postiço numa terra que, no meu entender, se recusava a me aceitar do jeito que eu era.

E, quanto ao tal de rock progressivo, ele não cumpria por completo as exigências culturais e ideológicas do intelectualoide de esquerda. Eu poderia até me sentir mais "cabeça" ouvindo o King Crimson ou tocando Bach, mas, se não entrasse em contato direto com o MPBzão *default*, o choro, a bossa nova, o baião, o samba de raiz, não desenvolveria a minha identidade de brasileiro, pelo menos na concepção que o mundo externo me compelia a ter.

Ainda não tinha caído a ficha de que, para ter reconhecida a minha identidade MPBista, seria necessário renegar qualquer tipo de rock. Era um imperativo político-ideológico.

Voltando aos dias de hoje, a coisa é a mesma.

A HISTÓRIA É A MESMA!

Há uns dois anos, dava uma palestra e esse assunto veio à tona quando um cara na plateia me perguntou um tanto ofendido por que eu estava falando mal do choro (na verdade, eu não estava falando mal do choro), pois ele estava aprendendo violão clássico (leia-se, choro) e não via mal nenhum nisso. Eu adoro choro.

Respondi a ele que eu também não via mal nenhum em tocar choro, muito pelo contrário, que se tratava de um estilo riquíssimo, muito embora estanque, atrelado a um passado mumificado, mas que pretenderia revisitá-lo assim que chegasse aos meus 85, 90 anos, quando teria uma casinha com uma varanda e, numa cadeira de balanço ou de rodas, iria executar peças de Ernesto Nazareth, Garoto e tantos outros.

Foi aí que olhei pro sujeito e vaticinei: "Eu sei exatamente o repertório que você está tocando, quer ver? Os cinco *Estudios Sencillos*, do Leo Brouwer (compositor cubano pode), *Graúna* e *Sons de carrilhões*, do João Pernambuco, *Lamentos do morro*, do Garoto, *Um a zero*, do Pixinguinha, e os 12 Estudos e os seis Prelúdios do Villa-Lobos. Acertei?"

O rapaz me olhou perplexo, como se estivesse diante de um vidente de capacidades mágicas, de um Chico Xavier protopunk, e exclamou: "Como você conseguiu acertar tudo!?" E eu respondi: "Porque o nosso ensino é muuuito criativo e dinâmico, sabe? O tempo transcorrido da época em que eu estudava violão para a sua foi, no mínimo, de quarenta anos! Quarenta anos! Infelizmente, não possuo nenhum poder mágico divinatório. É a nossa mentalidade a produzir o óbvio, o mesmo, o culto irremediável ao passado. Não que o passado, em si, seja algo a ser desprezado. Eu, inclusive, por natureza, sou um antigo, um ser pretérito, que ama de verdade, do fundo do coração, e vai às lágrimas ao ouvir música sacra, réquiens, música do período romântico, música barroca, impressionista, a dodecafonia folclórica de Stravinsky, o modernismo barroco de Villa-Lobos, incluindo nesse caldeirão, como não poderia deixar de ser, o choro e até alguma coisa de bossa nova, passando de raspão pelo samba, através da bateria, mas a recusa peremptória ao novo, a recusa em aprender alguma cultura do outro, é uma característica muito marcante em nossa mentalidade. Daí ser tão fácil discorrer para você esse seu repertório. E daí a minha claustrofobia cultural."

(Apesar de pensar assim, fui acometido por uma severa recaída nos anos 1990 e passei uns cinco anos estudando freneticamente violão clássico.)

E isso continua a vigorar, só que com uma intensidade nunca dantes testemunhada.

Se algum historiador do futuro vier a estudar este nosso momento atual, irá chegar à conclusão de que a síndrome de dignidade intelectual direcionada para o nacionalismo culturalista dodói foi a tônica dominante deste paupérrimo período (e olha que não estou nem contando a epidemia agrobrega universitária, os axés e os pagodes mauricinhos).

A ALUCINAÇÃO COLETIVA DE UM PESADELO DESBOTADO

Agora, é aquela história: quando abro a boca pra falar esse tipo de coisa, o que acontece? Bem, fatalmente algum guardião da nossa cultura me inquirirá, iracundo, com a indefectível indagação: "Quem é você, seu roqueiro, para falar de MPB, choro, bossa nova...!?" etc. etc.

E com esses conceitos extraordinariamente curtos, lá vamos nós adentrando um atoleiro de miséria criativa, de indigência intelectual, filosófica e cultural, nos atendo a nivelar todos por baixo, a cultivar a ideia de que o pobre é o grande, o original e único produtor relevante de cultura no Brasil. O estudante universitário branco apenas copia, e muito mal, essas manifestações, sejam elas no campo ou na favela, tornando a nossa paisagem musical um pesadelo desbotado.

E assim a classe média inicia sua marcha a ré em direção

à laje da Barbie, à MPB de segunda, ao pagode de terceira, ao forró de quarta, ao sertanejo de última.

O funk carioca é uma das raras exceções, pois importou a batida do Miami Sound e se apossou, em plena favela, de recursos eletrônicos, transformando o funk num grito de guerra e sexo, o mais genuíno estilo que o morro produz hoje em dia.

Alguns de vocês podem pular indignados da poltrona, ter um acesso apoplético, voar na minha carótida e vociferar: "Mas o funk é grotesco, sexista, violento, obsceno, tem letras horríveis, de articulação gramatical que beira dialetos neolíticos, um monte de cachorras de todas as raças, feitios e tamanhos oferecendo a bunda em rebolados ultrajantes, MCs e playboys juntos em delírio a entoar cânticos guturais de rimas ininteligíveis!" Isso é fato, mas existe uma coisa inegável: é o único, entre todos os outros aqui mencionados, verdadeiro. Ainda não foi reciclado, reinventado, regurgitado, muito menos aprovado pelo intelectual de esquerda.

Tenho que fazer uma ressalva para a escola violonística brasileira de músicos excepcionais como Baden Powell, Raphael Rabello, Yamandu Costa, Canhoto da Paraíba, Guinga, Egberto Gismonti, entre outros. O violão instrumental brasileiro é algo que sempre me fascinou. Já as grandes cantoras do quilate de Elza Soares, Elizeth Cardoso, Aracy de Almeida, Maysa, Dolores Duran, Cássia Eller simplesmente evaporaram. Hoje em dia temos um monte de pastiches e caricaturas.

Temos Tom Zé, Jards Macalé e João Donato, que são verdadeiramente geniais, sempre com um reconhecimento muito aquém de seu talento.

Fomos criados na prática do pistolão, da opressão ideológica, do coronelato e do jabá. Quem não está enquadrado nessa cultura acaba dançando.

Os dois foram banidos da Tropicália por motivos misteriosos. Tom Zé só conseguiu o seu devido reconhecimento como artista de uma criatividade única por acaso, através de David Byrne (líder do Talking Heads). E Macalé, com sua magnífica versatilidade, driblou o ostracismo compulsório incorporando e reencarnando na cultura do samba de breque herdada de Moreira da Silva, tornando-se seu mais legítimo representante, mas ainda está longe de ter sua importância, sua genialidade, seu humor e sua petulância reconhecidos. João Donato, com sua originalidade harmônica e proficuidade musical, obteve mais destaque no exterior.

Esses casos misteriosos de evaporação artística são muito corriqueiros na nossa história. O cunho ideológico, de uma forma ou de outra, está sempre presente. Nos anos 1960, vários artistas foram eliminados da cena por transparecer a mínima contrariedade com os ideais da esquerda. Massacraram, vilanizaram, satanizaram o grande Wilson Simonal, Os Incríveis, Dom e Ravel, Antonio Carlos e Jocafi, e tantos outros. Aqueles que conseguiram sobreviver ao longo desses anos (e não são poucos) o fizeram por manter em segredo suas preferências políticas.

Não serei eu a dedurá-los.

Isso tem que ser analisado com mais profundidade, pois se trata de uma mentalidade extremamente violenta e eliminatória. KGB perde! Nos dias de hoje, por incrível que pareça, as coisas podem ser piores.

NOSTALGIA DA HIPERMODERNIDADE

O samba que tanto me emocionou e me inspirou com Cartola, Carlos Cachaça, Mano Décio da Viola, Paulinho da Viola, Nelson Cavaquinho, Zeca Pagodinho, Almir Guineto, Martinho da Vila, Nelson Sargento, Dona Ivone Lara, Clementina de Jesus, por total falta de imaginação e excessivo apego à tradição, há muito tempo virou língua morta, assim como a bossa nova e o choro, e é artigo só para turista ver e intelectual de esquerda se envaidecer daquilo que não tem nada para se orgulhar.

Aliás, o intelectual de esquerda é o campeão mundial da punheta de pau mole, não é verdade? Sempre deprimido, paranoico, ressentido, sempre vitimizado por complôs cósmicos, sempre pronto para eliminar suas contradições na base do grito.

Quando acontece alguma inovação no samba, através das "levadas" e paradinhas de bateria das escolas de samba, surgem de onde? Do funk, ora bolas.

E o pior é que esse falso moralismo impede a maioria das pessoas de verificar que o funk, com toda a sua decantada precariedade estético-literária, dá de mil a zero em qualquer grife universitária musical por justamente não ter esse filtro idiota e pretensioso do carola estatizado.

Todas elas são miseravelmente piores e muito mais indecentes que o funk, com todas aquelas reboladas arreganhadamente erotizadas, pois são postiças, feitas por pessoas postiças, direcionadas por uma doutrina culturalista postiça, logo, incapazes de possuir a mínima condição de se estabelecer como uma cultura fruto de uma real experiência de vida.

Por ser orientado e concebido pela incompetência histórica da intelectualidade de esquerda em formar coisas possantes, todo estilo que venha a nascer sob a égide do universitário é, invariavelmente, produzido por esses seres de um ineditismo existencial constrangedor, todos eles bem abaixo da mediocridade e muito próximos da demência.

E quanto ao rap? Bem, o rap e o hip-hop, infelizmente, andam em grande escala vampirizados e filtrados por um sem-número desses subintelectuais rançosos, aqueles mesmos campeões de punheta de pau mole que assolaram a MPB, e o resultado não poderia deixar de ser outro: os músicos perderam o tônus, alguns começaram a ouvir Chico Buarque e caíram na repetição de clichês ressentidos, emburrados, com uma assustadora ausência de humor (coisa que não falta ao funk), não conseguindo produzir mais nada de relevante, pelo menos até este presente momento. Folclorizaram o rap.

O rap e o hip-hop, em geral, estão vivendo momentaneamente como reféns do simplismo e do populismo da cartilha do partido do governo. Virou um mero órgão de propaganda das ideias medíocres e revanchistas do PT. Propaganda eleitoral gratuita.

A sua maior expressão, os Racionais MCs, virou uma ridícula caricatura de toda essa doutrina (isso, lamentavelmente, na verdade já ocorre há algum tempo). Quando os Racionais apareceram, eu fiquei mesmerizado com a revolta, até então, criativa deles. Os Racionais MCs me empolgaram, me emocionaram e me influenciaram na maneira de compor ("El Desdichado II" é um exemplo típico).

O ídolo, herói e mestre deles e de todo o rap nacional, Chuck D, do lendário Public Enemy, além de ter me ajudado via e-mail a desenvolver o conceito de "Universo paralelo" pelos idos de 1999, quatro anos depois veio a me conceder uma entrevista de duas horas, por ocasião do finado Free Jazz Festival, para a também finada revista *Outracoisa*, sendo extremamente gentil e atencioso.

Eu tive o prazer de presenteá-lo com o primeiro número, que vinha com o CD antológico do BNegão & Seletores de Frequência. Quis muito que o Chuck soubesse que a revista era uma empreitada filha de muitos de seus conselhos via e-mail, e ele, em retribuição, me deu um CD do que insistiu em chamar de "grupo de rock" (!), o Fine Arts Militia. Ao final da nossa conversa, me deu um caloroso abraço e me disse algo do tipo: "Que toda pessoa de boa vontade seja sempre bem-vinda." Foi um encontro emocionante e inesquecível, contudo, lamentavelmente, isso nunca aconteceu nas vezes em que tentei me aproximar dos Racionais.

A atitude deles é essa, sempre: se você não é mano, você é um ser repugnante a ser desprezado. E todo mundo acha isso natural! Essa sempre foi a sensação que me foi passada (escreverei um capítulo me aprofundando mais sobre esse fenômeno). Em seu mais recente trabalho, eles se fantasiam de guerrilheiros terroristas em homenagem a quem? A um daqueles heróis libertários e insuperáveis dos anos 1960 de que falamos anteriormente: Marighella, um guevarinha tupiniquim.

São verdadeiras epifanias de Mano Brown a bradar clichês anacrônicos, a convocar a luta armada, o terrorismo explícito, fazendo da situação um simulacro de oposição, uma vítima do próprio rancor, como se não fosse a própria situação seu mais cruel algoz e seu mais fiel patrão, se convertendo em uma caricatura de combatente urbano, numa tentativa esdrúxula de justificação imbecil da bandidagem, a posar de justiceiro social, exatamente como era de se esperar de um papagaio piegas e recalcado. O tão chamado idiota útil. Uma pena.

Agora, o mais engraçado é que um monte de playboys branquelos veste a carapuça de uma culpa histórica que a doutrina racial do governo turbina e, se borrando de medo de serem patrulhados ou desenturmados, passam a pagar pau para *posers* marrentos.

E VIVA A TERRA DO NUNCA!

E assim continuaremos a fabricar um sem-número de nacionalistas xenófobos, bichos-grilos ecológicos, ripongas neocomunistas. Seremos imunes a qualquer crítica quanto à nossa infraestrutura desmoronada e falida, quanto à nossa terminal condição moral, só conseguindo enxergar as trapaças dos grupos adversários, a exibir com jactância e orgulho, sem a menor cerimônia, um rabo mais imundo que o do opositor.

Viveremos a cultuar esse mesmo carnaval como nossa incapacidade máxima de nos qualificarmos com alguma relevância no cenário internacional através de qualquer outra manifestação cultural.

Viveremos num império de ONGs preocupadas com o engajamento social de araque e se empanturrando de grana, de artistas consagrados a mamar nas tetas da lei Rouanet, e isso tudo somado tornará muito difícil, após toda a farra da Atrofia, revertermos nossa mentalidade e nosso comportamento, pelo menos nas próximas décadas.

Teremos gerações de doutrinados por um arquideterminismo, absolutamente hipnotizados por fenômenos culturais de alucinação coletiva desde a mais tenra infância.

Esse tema, como vocês verão, será onipresente no transcorrer deste livro.

A oficialização dessa ideia de singularidade abençoada por Deus diante do mundo apaga a possibilidade de uma ideia de desvio. E o desvio, que seria alguma alternativa a esse contínuo imutável, tem que ser reprimido, custe o que custar.

Não conseguimos aprender com a sucessão dos fatos, não conseguimos nos desprender das mesmas ideias que nos paralisam. Morremos de medo de um dia sermos finalmente comparados com o mundo civilizado e desmascarados diante da nossa mediocridade, soberba, inoperância e impotência.

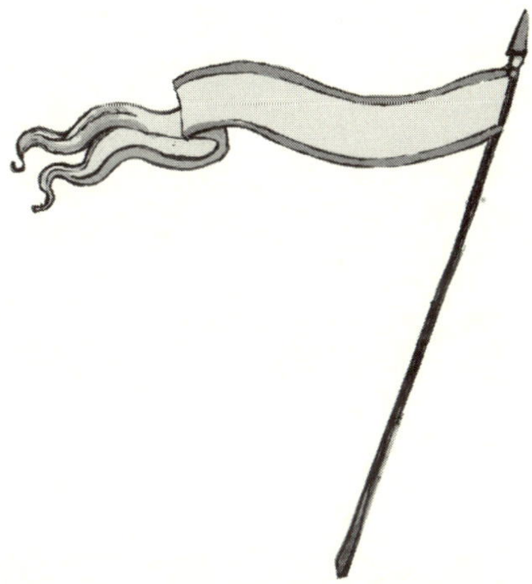

CAPÍTULO 2

UM PEQUENO MERGULHO NO MUNDO SERTANEJO UNIVERSITÁRIO (ACIDENTALMENTE GONZO)

Já sentia no ar que não dava mais para continuar fazendo parte daquele programa de reportagens investigativas. Os últimos temas andavam, misteriosamente, muito diferentes da proposta inicial e eu estava me sentindo um peixe fora d'água. Fora o fato de estar adentrando um universo profissional muito distante do meu hábitat natural, que é compor, tocar, cantar e escrever. Todos aqueles sentimentos misturados apontavam para um fim bem próximo.

A pauta em questão era sobre o fenômeno sertanejo universitário. E eu logo pensei: isso pode ser muito interessante! Poder investigar algo que sempre esteve aquém da minha compreensão seria uma oportunidade única. Afinal de contas, tudo o que eu queria daquele programa era ter a chance de conhecer mais a fundo certas realidades do nosso país e que somente naquelas circunstâncias jornalísticas poderia realizar, me embrenhando na vida dos que iria investigar e estar com eles durante as gravações.

E, de fato, passei por aventuras incríveis, conheci pessoas de diferentes partes do Brasil, de diferentes mundos e submundos, personagens singulares que muito me ensinaram e muito me emocionaram no pouco tempo em que permaneci por lá. Em resumo: foi uma experiência profunda para minha compreensão mais acurada do Brasil. E material farto para compor e escrever.

O início do fim começou com um incidente que já vinha precedido por alguns outros, portanto o clima já era de desgaste.

Tinha sido escalado para viajar até Curitiba e fazer uma entrevista com vários astros do sertanejo universitário num festival de música sertaneja (aprendi que boa parte dos sertanejos não universitários faz questão de deixar claro que não faz parte do movimento).

Acabei por saber do roteiro quando cheguei em casa, lá pelas oito da noite (nós sairíamos às seis da manhã do dia seguinte), e, para meu total espanto, vinha com uma discreta recomendação para que a reportagem fosse... "positiva". As perguntas giravam em torno de uma simpatia e de uma admiração que, positivamente, eu nunca tivera, formuladas como se eu fosse um fã de carteirinha do gênero. Bem, só me restou ignorar a viagem, mandar um e-mail avisando que não participaria daquela presepada e mergulhar na cama para dar uma lida num bom livro antes do sono dos justos.

Ainda bem que tinha por contrato essa proteção: se não concordasse com a pauta, não participaria do programa, contudo não era um recurso que gostaria de utilizar, principalmente com toda a equipe me esperando no aeroporto. Mas não havia outra opção.

Não é preciso dizer que a produção não achou muito incrível a minha retirada estratégica.

Com o clima cada vez mais tenso, fizemos uma reunião num restaurante na Vila Madalena com a rapaziada da produção. Expliquei a eles o óbvio: "Gente, vocês têm que entender a minha situação. Não é que eu esteja a fim de defenestrar os artistas sertanejos universitários, mas, convenhamos, 'sugerir' uma pauta 'positiva' para mim, o cara que mais desanca o estilo no país, é no mínimo surreal. Seria mais produtivo vocês escolherem outro repórter para fazer esse serviço. Vocês não acham?"

Eles alegaram que seria muito interessante para o público que justamente eu participasse da pauta e que estavam planejando uma outra reportagem, dessa vez numa casa de shows aqui em São Paulo.

E não seria mais um festival, seria um show de um só artista, o atual estouro nas rádios de todo o país. Seria um grande encontro, segundo eles. Ponderei estar com certo receio de aparecer num reduto sertanejo universitário e sugeri a eles que providenciassem algum tipo de segurança, pois, na semana anterior, num depoimento colhido no meio duma gravação de um programa da série, em Mato Grosso do Sul, eu, por acidente, acabei dando uma desancada num outro famoso artista do segmento, e, como era de se esperar, não foi exatamente amor o que recebi de seus fãs.

Nas redes sociais espocavam as blasfêmias das mais diversas, as ameaças mais terríveis, os impropérios mais furibundos, as imprecações mais odiosas. Argumentações, por sinal, pouco esclarecidas e mal-escritas, mesmo se tratando de um gênero oriundo da nossa elite estudantil.

Chegavam de todos os sites, blogs, twitters imprecações acompanhadas por verdadeiros monumentos da ortografia capenga e invariavelmente seguidas pela clássica pergunta: "Quem é você, seu roqueiro decadente, para falar do meu amado fulano de tal?" etc. etc.

Sendo algo tão recente, no mínimo estava cauteloso quanto a minha visita ao local e, humildemente, insisti na presença de alguns seguranças espalhados no recinto, só para me dar algum alento moral, ou, pelo menos, que conseguissem uma entrada para a minha mulher me acompanhar. Eles me disseram que não havia jeito de colocar mais ninguém pra dentro.

Relembrei aos produtores do programa que, apesar de estar atuando como repórter naquele momento, na verdade minhas funções eram escrever, compor, tocar, e tocar um estilo bastante adverso àquele em pauta, que tinha lá o meu público, minhas opiniões, minhas posições, minha história já bem definidas. Algo diferente de um repórter normal, um indivíduo supostamente comprometido com a imparcialidade (muito embora a condução da pauta estivesse sendo bem parcial).

Eles contra-argumentaram me explicando o quanto ficaria mais verdadeiro, mais emocionante, se eu fosse acompanhado apenas da equipe (um diretor, um câmera e um cara do som), e esse contingente de pessoas seria mais do que suficiente para a minha segurança. E sobre o intrigante fato de a pauta estar toda direcionada para ser simpática ao gênero em questão, eles prontamente me disseram que eu receberia uma nova na hora da saída para o local. Que ficasse tranquilo.

Como estava a fim de fazer o meu trabalho direito, concordei com a aventura acreditando na palavra deles. Afinal de contas, já havia realizado uns cinco programas e, por mais difíceis e complicados que tenha sido gravá-los, estava me saindo louvavelmente bem, fora o fato de que tudo aquilo poderia se tornar material para o meu trabalho futuro, tanto de compositor como de escritor. Pois bem, meio ressabiado, combinamos a saída da produtora às oito da noite.

Quando chego, percebo mais uma pessoa na nossa trupe: a namorada do diretor! (Fiquei muito irritado com aquela surpresa! Afinal de contas haviam barrado minha mulher.) Estava claro que não se viam há muito tempo e deviam ter muito assunto para colocar em dia.

Entramos na nossa van (eu sempre viajo de copiloto) e lá fomos nós em direção à casa de espetáculos. Mas tinha um detalhe: o clima de amor entre o casal reencontrado era tamanho que, por tal motivo, não houve muita conversa, nem sobre a pauta nem a respeito de qualquer combinação de como iríamos nos posicionar naquela complexa reportagem. Isso alteraria dramaticamente o resto da nossa jornada.

Logo quando chegamos, perguntei se eles queriam fazer uma externa de apresentação (de praxe), mas o diretor não manifestou muito interesse e disse para entrarmos logo. Ao observar a entrada, fiquei impressionado com o tamanho do local. Parecia uma Disneylândia agrária! Um quarteirão inteiro! Recebemos aquelas fitinhas de botar no pulso e lá fomos nós adentrando aquele lugar de dimensões monumentais.

Dava para perceber que era uma casa de altíssimo nível. Pessoas de aspecto próspero, muito bem-tratadas, ocupavam as dezenas de ambientes que o lugar oferecia. Havia vários auditórios de vários tamanhos, pistas de dança, chafarizes, cascatas artificiais, restaurantes, bares, tudo decorado num estilo (aí me caiu a ficha)... num estilo country!

Quando falo country, quero me referir ao country americano.

Fiquei muito surpreso, pois, na minha santa ingenuidade, imaginei se tratar de algo relacionado a um conceito mais nacionalista, pois o universitário, em geral, é sempre tão fiel, tão preocupado em defender nossas raízes. Era um peso para duas medidas, pois todos nós sabemos que o típico universitário culturalista abomina tudo o que vem de fora, como, por exemplo, o rock, sempre tão criticado por ser coisa de alienado, colonizado cultural, coisa de americanizado.

Sinceramente, em virtude disso tudo, minha expectativa era encontrar uma temática mais para o agreste nordestino ou para um tema pantaneiro, ou, quem sabe, sobre sertões mineiros, ou enaltecer o pampa gaúcho ou o Recôncavo Baiano, tudo menos o que estava se desvendando diante dos meus olhos.

Chegamos a um recinto com uma enorme placa de madeira, bem ao estilo texano, que dizia ser uma barbecue. O que estava escrito na placa? Para meu total espanto, o letreiro gritava: RESTAURANTE JOHN WAYNE (!). Adentramos o luxuoso e amadeirado ambiente, pé-direito altíssimo, salão amplo, quando percebo, perplexo, a existência de fotos enormes penduradas nas paredes, fotos de dezenas de caubóis americanos: Clint Eastwood, Buffalo Bill, Butch Cassidy, Roy Rogers, e logo comecei a matutar... rapaz, se isso aqui é um reduto de sertanejo universitário, um gênero que supostamente resgata as nossas raízes, como ainda não percebi a presença de um mísero Tinoco? Nem um só Tonico, nada de Pena Branca nem Xavantinho, nada de Jararaca, Ranchinho ou algo mais recente, como Sérgio Reis ou Almir Sater, ou Helena Meirelles... procurei inutilmente o Renato Teixeira, e neca... Intrigante.

Ali parei, pensei, filosofei: que diabos esses universitários estão fazendo para buscar as nossas raízes em um lugar como... o Texas? Para onde o cretinismo cultural nos está levando nessa mistura pavorosa de sanha boçal capitalista com imbecilidade crassa da esquerda nacionalista?

Pois não apenas a casa era temática; as pessoas também! Todos de chapéus de caubói, cintos, botas, só faltavam as cartucheiras. E, caso você não estivesse devidamente aparatado para o evento, havia um minishopping temático, em que você, em dez minutos, estaria pronto para fazer parte de qualquer filme de bangue-bangue.

Foi quando o rapaz da nossa produção me sugeriu se, por acaso, eu não estaria a fim de me vestir de caubói para a entrevista...

Não é necessário entrar em detalhes acerca da minha resposta, não é mesmo?

Definitivamente as coisas não batiam. Era uma atmosfera um tanto esquizofrênica. A proposta inicial não se adequava ao cenário. Sim, porque desde que a UNE se tornou chapa branca muitas coisas esquisitas vêm acontecendo com essa classe estudantil. Além do inédito e histórico silêncio bovino da entidade em relação aos reveses e lambanças monumentais do governo (que não são poucos), o termo "universitário" virou uma espécie de subcategoria para variados estilos autóctones, como o forró, o samba, o choro, o sertanejo, a bossa nova, só que, invariavelmente, todos eles de uma mediocridade inexplicável.

Você pode reparar, quando aparece algum estilo com a grife "universitário", pode esperar por algo abominavelmente ruim, malfeito e postiço. Nada é de verdade. Tudo vira um pastiche horroroso. Tudo em nome de uma estrambólica brasilidade.

E lá estava eu, no meio daquela luxuosa e gigantesca casa de espetáculos, desnorteado com a enxurrada de informações díspares a me confundir a cabeça, de maneira tal que nem tinha me lembrado da paúra dos dias anteriores. Junto da equipe, me sentia camuflado, mas isso não duraria muito.

O nosso diretor apaixonado e sua namorada, os dois sempre em enlevo amoroso, abandonaram de repente o recinto aos beijos e abraços, sem me notificar absolutamente nada. Foram, creio eu, procurar alguma coisa interessante num outro ambiente e os dois outros também se dispersaram para outras salas a catar supostas curiosidades que pudéssemos registrar. De repente, lá estava eu, plantado feito dois de paus, sozinho no meio do restaurante John Wayne. Era tudo o que eu não queria!

No meu entendimento, material jornalístico não faltava por ali. O absurdo imperava e bastaria ligar a câmera para brotarem as mais insólitas cenas. Mas depois vim a perceber que esse não era o intuito da pauta.

Meio que para disfarçar meu constrangimento, ao mesmo tempo registrando para meu acervo pessoal, desandei a filmar com o meu iPhone as paredes, os caubóis, as batatas fritas, o andar cadenciado dos garçons, a fumaça da churrasqueira, as carnes que saíam apetitosas do *grill*, as figuras que entravam e saíam... mas o assunto acabou e ninguém da nossa equipe dava sinal de vida. Aquele lugar era grande o bastante para, sem uma logística organizada, facilmente nos perdermos uns dos outros. E foi o que aconteceu.

Comecei a ficar apreensivo com certos olhares um tanto surpresos e pouco amistosos de alguns rapazes bem-nutridos, invariavelmente trajados de camisas xadrez preto e branco, cinturões de enormes fivelas douradas, botas texanas e cortes de cabelo meio amarfanhados com uns topetes escorrendo, oblíquos, pelas testas, dando a todos um ar ligeiramente oligofrênico.

Pensei cá com meus botões: "Fodeu! Isso não vai acabar bem." Comecei a ficar nervoso... O local continuava recebendo uma enxurrada de pessoas, todas aparentando, como havia dito, muita prosperidade. Garotas de cabelos compridos, meio alourados, com roupas de grife, muitas de sainhas sumárias, tipo abajur de xoxota, todas tratadíssimas e muito semelhantes umas com as outras. Parecia que tinham saído de uma produção em série.

Mas o clima não seria apenas de animosidade, não! De repente, fui reconhecido por simpáticas senhoras, logo em seguida, por um grupo de amigos de trabalho e, numa reação em cadeia, um monte de pessoas sorridentes pediu para bater fotos com a minha pessoa, e eu, mesmo intrigado e surpreso com aquela atitude tão amistosa, na minha simpatia de sempre, comecei a posar para inúmeros populares. Parecia um Papai Noel de shopping: abri um sorriso contínuo e fiquei perambulando de um lado para o outro atendendo pacientemente a todas as solicitações.

Não pensem que o meu nervosismo diminuiu. Atinei logo em seguida que aquele monte de fotos iria direto para o Facebook, para o Twitter, para o escambau a quatro, e logo imaginei a cara de espanto dos desavisados ao me flagrarem num reduto country, aparentemente enturmadíssimo, cheio de aficionados vestidos a caráter ao meu redor, em plena confraternização! A minha cara era de bunda, pois após alguns cliques, sempre demorados (ou a pessoa não sabia usar direito o aparato ou a bateria estava fraca), não conseguia controlar a minha mímica facial. Estava com cãibra nas bochechas. Não conseguia me desvencilhar do meu sorriso!

Um início de pânico se abateu sobre mim, quando acontece algo mais incrível ainda: me aparece uma menina do nada e me sapeca um abraço apertado! Eu gelei e ela se apresentou: "Oi! Lembra de mim? Eu sou a fulaninha de tal, que namorou um cantor da banda punk XYZ!" (Ela me disse o nome da banda, mas não consegui ouvir direito.)

Honestamente, eu não me lembrava nem dela nem da banda punk. Porém, só o fato de haver naquele recinto alguém que inexplicavelmente fosse de uma cultura mais próxima à minha me deixou numa espécie de estado de euforia histérica. Peguei sua mão e disse: "Por favor, me leva até aquele bar que eu preciso tomar uma dose de alguma coisa forte." (Com toda aquela confusão na cabeça, não havia me lembrado de que não bebia havia umas duas semanas.)

Entramos na fila e o carinhoso assédio continuava. Eu prosseguia nas minhas poses com a mesma cara de bunda involuntária, com aquele sorriso inexpugnável, e os rapazes menos receptivos à minha pessoa rondavam um pouco mais afastados. Deviam estar um pouco arrefecidos e frustrados diante da minha retumbante popularidade. Conseguimos chegar ao bar (que naquele momento estava apinhado de gente) e logo fiz amizade com o garçom pedindo: "Amigo, capricha pra mim um caubói de Jack Daniel's, por favor!" O garçom, muito solícito, me deu uma generosa dose. Meu desconforto e nervosismo eram tamanhos que ainda não havia largado a mão da ex-namorada do cantor da banda punk. Minhas mãos suavam. Me sentia abandonado.

Pedi a ela para me acompanhar de volta ao restaurante John Wayne e me reconectar à equipe, até aquele momento evaporada. Tudo que queria era fazer logo a tal entrevista e dar o fora. Chegamos lá, e nada... Meu coração disparou. Eu a convidei para dar um rolé pelos ambientes do local (sempre segurando sua mão, meio que a usando de escudo humano) para tentar achar meus colegas e ver se a gente começava logo com a reportagem, pois não me sentia nada confortável em meio àquela situação, e nada de a equipe aparecer.

Outra vez, não conseguimos encontrar ninguém, por isso implorei a minha nova amiga que voltássemos ao bar para eu tomar mais uma dose do velho Jack. Dessa vez, para economizar tempo, adquiri logo três doses. Cheguei ao balcão já como um velho *habitué* e bradei ao garçom: "O de sempre, amigão!"

Bebi o primeiro caubói, dei um suspiro de ansiedade e percebi que precisava logo tomar outro: "Mais uma! Caprichada!" O garçom encheu mais um copo e eu o sequei numa golada só, como nas vezes anteriores. A partir daquele instante, talvez pela minha pouca resistência de duas semanas de abstinência, tudo começou a ficar nebuloso, como se eu estivesse assistindo àquela cena numa outra sala, num outro lugar... Os pedidos por fotos continuavam voluptuosos e, no desespero, pedi a quarta dose.

Ali o bicho começou a pegar e, logo em seguida, chega esbaforida a equipe, com o diretor e sua namorada um tanto amarfanhados, afirmando que me procuravam desesperadamente. Não havíamos filmado nada até aquele instante. Me colocaram o microfone de lapela e um deles me avisou que o cantor a ser entrevistado estaria num local específico para conceder a entrevista à imprensa. Eu perguntei: "Ué, não era uma exclusiva?" Eles me explicaram que havia muitos jornalistas, várias emissoras de TV e nós teríamos que ser breves e objetivos. Foi somente naquele momento que o nosso diretor me deu um papel com a tão solicitada pauta, e então percebo, incrédulo, se tratar do mesmo conteúdo daquela primeira lá de Curitiba! Com a mesma recomendação: ser uma matéria "positiva"!

Eu olhei para o diretor e perguntei: "Pô! Você não poderia ter me dado as perguntas antes? Eu já disse que não faço a entrevista com essas perguntas!" O diretor exigiu que eu cumprisse a pauta literalmente, pois o programa precisava de mais audiência, e disse que aquele segmento (sertanejo universitário) era muito importante para o programa etc. etc.

Eu já estava completamente bêbado, mas, como sou um excelente profissional, consegui chegar incólume até o local combinado. No entanto, confesso a vocês que, naquele momento, a minha paciência havia se acabado.

Jamais trataria mal quem quer que fosse, mas não abriria mão de deixar a minha opinião bem clara para o público. Estava, como se dizia, puto nas calças. Já que a bebida começava a potencializar os seus efeitos, respirei fundo e me concentrei para não arrastar a língua, não falar abobrinha, não perder o fio da meada e, antes de mais nada, ser gentil com o artista, pois eu, como colega, sei a merda que é um jornalista querendo te foder numa entrevista.

Achei uma excelente oportunidade para dar um bom exemplo aos espectadores sendo amistoso e respeitoso com o cantor e mostrar ao público em geral que devemos separar o artístico do pessoal. Afinal de contas, tenho vários amigos que me acham, por ser um músico de rock, uma verdadeira porcaria, e isso não interfere em nada na nossa amizade, porque eu também acho uma merda o que eles gostam e a gente se diverte muito a esculhambar amorosamente uns aos outros.

Pois bem, o artista a ser entrevistado se mostrou uma doce criatura, muito educado, muito simpático e me recebeu com o maior carinho.

Acho que devemos expressar nossas opiniões, ser até bem duros quanto ao que achamos das coisas, mas jamais covardes oportunistas. Afinal de contas, o repórter sempre está no domínio (mas o conteúdo do programa é a produção que define e edita).

Não é preciso dizer que ignorei por completo a tal da pauta. Batemos um papo muito amistoso e tentei, no meu delicado estado etílico, explicar a ele que, como colega, respeitava sua trajetória, entendia o quanto era difícil se destacar no cenário nacional, sabia que ele não era nenhum estreante, tendo já muita estrada nas costas e isso era motivo de admiração, etc. e tal... E emendei: "Muito embora, com todo o respeito..." E confessei honestamente a ele a aversão que tinha por aquele estilo musical (eu tenho a impressão de que essa parte não foi ao ar).

Ele, sempre muito querido, deu uma boa risada, levou o comentário na esportiva e emendou outro assunto sobre o título de uma canção do seu novo sucesso, que havia sido composta, se não me engano, por uma compositora do Sul, e eu, na minha santa ignorância, como era de se esperar, nunca havia ouvido falar da tal música.

Depois, vim a saber que a referida canção era um mega-hit nacional, uma coqueluche nas pistas, nos rodeios e nas estações de rádio, e me senti um habitante de um universo paralelo. Para piorar, nem havia percebido certo duplo sentido maroto no seu título.

Vocês não podem imaginar a repercussão (péssima) que teve a minha inocente gafe. Nas redes sociais, nas revistas de fofocas, nos sites especializados, nos blogs dos entendidos, todos me crucificavam simplesmente por eu não ter a menor ideia da existência daquele hit! Daquele, desde já, clássico do cancioneiro popular brasileiro.

Percebi que havia cometido uma heresia, como se estivesse ignorando a Nona de Beethoven!

"Isso é uma terrível falta de profissionalismo", gritavam iracundos e em coro diversos jornalistas dos mais diversos veículos. Na internet, fui motivo de chacota. O Brasil inteiro conhecia a música, menos eu.

O resto do pessoal, que assistiu ao programa e que estava doido para a minha tão esperada esculhambação ao simpático cantor, simplesmente me taxou de vendido, entreguista e puxa-saco.

A entrevista acabou logo em seguida e nos abraçamos com sinceridade (ele realmente é uma pessoa muito querida).

É, meus amigos, vos digo uma coisa: a partir daquele momento eu saí inteiramente do ar. Deixei toda a equipe para trás sem dizer uma palavra e atravessei o salão com o microfone de lapela ainda ligado, a procurar a saída.

A minha nova amiga, a solidária ex-namoradinha do cantor de banda punk, evaporou-se e, àquela altura do campeonato, tudo o que queria era sair correndo daquele lugar tão estranho. Bêbado do jeito que estava, devo ter demorado a madrugada inteira para achar a saída. Trôpego, entrava e saía naquele labirinto de ambientes insólitos (dei sorte de ninguém ter encrencado comigo), até que, finalmente, enxerguei o portão de entrada acreditando ser o de saída.

Acredito, em virtude do meu estado, que ninguém tenha me impedido de sair pela entrada. Alcancei com dificuldade a rua e lá, no piloto automático, parei um táxi e implorei esbaforido ao motorista que me tirasse imediatamente daquela área e me levasse direto para casa.

Sabia que jamais poria os pés naquela produtora outra vez, sabia que nunca mais gravaria para aquele programa outra vez. Olhei para o microfone pendurado na lapela, que ainda estava ligado, dei uma risada de escárnio e devo ter dito algo como “Fodam-se todos vocês, seus babacas. Fui!”.

CAPÍTULO 3

VAMOS ASSASSINAR A PRESIDENTA DA REPÚBLICA?

Não se preocupem, amiguinhos, sou uma criatura incapaz de matar um mosquito, uma mosca, uma barata e, por extensão isonômica, a nossa presidenta da República, que, sendo assim, estará livre de uma chinelada assassina vinda das minhas sandálias.

O que gostaria de propor, com essa convocação um tanto insólita, mas de cunho didático, seria seguir a linha de raciocínio adotada pelo governo em relação a determinados assuntos ético-políticos, usando os mesmíssimos argumentos engendrados por esse governo para explicar, através de sua lógica, essa minha convocação didático-hipotética de assassinato ou execução da nossa mandatária máxima.

Em outras palavras, usar do próprio veneno criado por essa casta para provar a imensa picaretagem da medida de fachada nobre, implementada em maio de 2012, que é a defesa dos direitos humanos através da tal Comissão da Verdade.

A nossa presidenta, nossa governanta, como já é de domínio público, além de se declarar vítima de tortura, parece que também possui uma ficha criminal bastante ampla (alguns preferem chamar isso de atividade libertária, de luta armada para a libertação nacional), com assaltos milionários (onde estaria a grana?), atentados terroristas, suposta participação em execuções, sequestros, atentados e, junto com ela, uma parte bem representativa de seus colegas de partido e de governo.

E se esse questionamento é cada vez mais corriqueiro nas esquinas e nas redes sociais, se há dúvidas em relação ao seu passado, ela teria mais do que obrigação em esclarecer sua história de forma categórica e definitiva, uma vez que designou uma Comissão da Verdade, que ela própria convocou e o governo remunera, o que, nessa condição unilateral, é imoral. Se é uma suposição conspiratória sua participação efetiva em grupos guerrilheiros, se jamais participou de atentados, assaltos, sequestros e execuções, se, como afirma, teve apenas um envolvimento periférico, ela, como presidenta e implementadora da tal comissão que está averiguando apenas os seus antagonistas, não está agindo de forma honesta e aceitável.

É um tanto assustador assistir a um vídeo no YouTube da nossa governanta visitando o barracão da revolução cubana no Fórum Social Mundial e fazendo um discurso emocionado em que demonstra sua admiração e solidariedade à ditadura cubana! Nossa presidenta é uma tremenda comunista!

Uma pessoa que luta contra uma ditadura em prol de uma outra não tem o menor direito de reclamar coisa alguma!

Pela lógica, se é obsceno se vangloriar por ser nazista, tão grave é se permitir ser solidário à causa cubana, que já assassinou mais de cem mil pessoas, de 1959 até os dias de hoje, exporta métodos de tortura e seu maior trunfo econômico foi o comércio de sangue dos condenados ao paredão para os vietcongues nos anos 1960. Fora Mao Tsé-Tung, que assassinou mais de sessenta milhões de pessoas e condenou outros milhões à fome e à miséria, deixando Stalin acabrunhado com suas próprias atrocidades. E não venha dizer que isso é teoria da conspiração, pois são fatos históricos e muito bem-documentados.

E esses facínoras vêm com esse papo de libertários? Que entraram na luta armada, em nome da tal causa libertária (?!), na luta pela implementação do socialismo no Brasil, para nos livrar das garras da ditadura militar em troca de uma redentora ditadura do proletariado? Ditadura que a presidenta e sua corriola teimam por fazer crer ser "do bem", assim como a de Cuba e da China, das quais são fãs de carteirinha, asseclas e parceiros. Sem esclarecer ao povo brasileiro ter sido justamente essa sanha por implementar uma ditadura do proletariado no Brasil através da luta armada a principal causa de vivermos numa ditadura militar por mais de duas décadas.

Como se não bastasse, há probabilidades sólidas e evidências contundentes de termos um governo e seu partido majoritário, o PT, atuando como parceiros das Farc (Forças Armadas Revolucionárias Colombianas), que, além de tudo, têm parceria com o PCC (Primeiro Comando da Capital). Sem falar na lamentável posição do Brasil como um dos campeões mundiais de tortura e assassinatos nas prisões. Ou seja, toda essa nova elite de poder se dando um direito tão distinto e quase divino de praticar atrocidades, em nome, segundo eles, de uma causa nobre, insofismável. Sempre raciocinando e agindo com dois pesos e duas medidas.

Sendo assim, vamos por partes que chegaremos lá.

OMISSÃO DA VERDADE

Meus queridos amigos, neste início de capítulo serei curto e grosso: quero informar a vocês que tenho críticas severas à Comissão da Verdade.

Portanto, gostaria de iniciá-lo promovendo uma espécie de contenda, mergulhando no debate com profundidade e rigor, para confrontar as argumentações de ambos os lados. Levar às últimas consequências a lógica dos pontos de vista em questão, nos termos do senso comum e de fundamentos universais, que qualquer pessoa de boa vontade, de qualquer credo, ideologia ou religião possa afirmar irrefutáveis, até que eventuais idiossincrasias e paradoxos comecem a brotar no desenrolar da discussão.

Tudo o que desejo verificar é se essa Comissão da Verdade (verdade já é um termo suspeito, cabotino e um tanto picareta) está adotando critérios honestos e legítimos para nos esclarecer plenamente sobre as lacunas sombrias da nossa história recente.

Quem será pego em contradição?

As regras estão na mesa para serem seguidas pelas duas partes antagônicas e serão bastante claras: os direitos humanos, centro gravitacional de todas as atitudes do governo em direção à justiça e à verdade (?!), serão objeto sagrado dessa querela, e os dois lados terão como meta fundamental mostrar absoluta coerência, transparência, imparcialidade e honestidade nos seus argumentos.

Para isso me disponho, antes de mais nada, a assumir, mesmo que hipoteticamente, alguns dos adjetivos e estigmas a mim imputados em todos esses anos de carreira.

Por quê?

Eu respondo: quero me colocar no lugar em que o imaginário coletivo foi sedimentado por essas imputações para dar uma margem "moral" a todos que pretendem, pretenderam e pretenderão contestar meus argumentos. Topam?

Em outras palavras: faço questão absoluta de conceder toda e qualquer vantagem àqueles que desde sempre se jactaram de serem moralmente mais elevados, mentalmente mais sãos, mais razoáveis, mais humanos, mais dignos, mais bondosos, mais virtuosos, mais talentosos, mais libertários, livres de qualquer vício, com cérebro e alma livres e virgens das substâncias que, em tese, vieram a consumir meus neurônios e meu espírito. Enfim, conceder toda e qualquer vantagem àqueles que proclamam deter a Verdade e o Bem.

Essa concessão será feita com o intuito único de promover o contraste das nossas condições perante a sociedade e a História (eu, enquanto pária; eles, enquanto encarnação da Razão e da Virtude), apenas para eu poder ter o máximo conforto em cobrar-lhes em dobro a responsabilidade, o rigor, a coerência, a razoabilidade e a legitimidade de suas argumentações diante da suposta superioridade moral, intelectual e ideológica que assumem possuir.

Essa medida permitirá desenvolver minha tese livre do incômodo e despotencializante cacoete, corporificado naquela clássica indagação *a priori*: "Afinal de contas, quem é você, seu roqueiro drogado, para abrir essa boca e duvidar de tão edificante empreitada?" etc. etc.

Então, vamos começar?

Sendo assim, que entrem em campo as corriqueiras qualificações tornadas marca registrada da minha caricata persona pública ao longo de todos esses anos:

Faço questão absoluta de expor todas as minhas opiniões me colocando na condição de um drogado, desimportante, mal social, criatura de péssima personalidade, arrogante, reacionário, boquirroto, vendido, debochado, pró-ditadura, pró-tortura, invejoso, marqueteiro, incestuoso, epiléptico, matricida, medíocre, metralhadora giratória, polêmico e roqueiro (sim, o último termo é usado em tom pejorativo e, não raro, representa alienação política, manifestação musical inferior e colonização cultural subserviente ao imperialismo americano).

Está bom assim?

Agora, coloquemos na mesa alguns conceitos universais pertinentes a este debate, através de sua expressão máxima e fundamental da argumentação da Comissão da Verdade implementada pelo governo: a Declaração Universal dos Direitos Humanos.

Ela será o parâmetro e o alicerce de nosso questionamento e gostaria muito que vocês lessem com carinho e atenção os artigos abaixo para o nosso jogo ter a relevância e eficácia requeridas. Eu os pincei por achá-los pertinentes a minha argumentação, e estão inclusos na Declaração Universal dos Direitos Humanos, adotada e proclamada pela resolução 217 A(III) da Assembleia Geral das Nações Unidas, em 10 de dezembro de 1948:

> Artigo I: Todas as pessoas nascem livres e iguais em dignidade e direitos. São dotadas de razão e consciência e devem agir em relação umas às outras com espírito de fraternidade.
>
> Artigo II: Toda pessoa tem capacidade para gozar os direitos e as liberdades estabelecidos nesta Declaração, sem distinção de qualquer espécie, seja de raça, cor, sexo, língua, religião, opinião política ou de outra natureza, origem nacional ou social, riqueza, nascimento, ou qualquer outra condição.
>
> Artigo III: Toda pessoa tem direito à vida, à liberdade e à segurança pessoal.
>
> Artigo V: Ninguém será submetido a tortura, nem a tratamento ou castigo cruel, desumano ou degradante.
>
> Artigo VI: Toda pessoa tem o direito de ser, em todos os lugares, reconhecida como pessoa perante a lei.
>
> Artigo VIII: Toda pessoa tem direito a receber dos tributos nacionais competentes remédio efetivo para os atos que violem os direitos fundamentais que lhe sejam reconhecidos pela Constituição ou pela lei.
>
> Artigo XII: Ninguém será sujeito a interferências na sua vida privada, na sua família, no seu lar ou na sua correspon-

> dência, nem a ataques à sua honra e reputação. Toda pessoa tem direito à proteção da lei contra tais interferências ou ataques.
>
> Artigo XVIII: Toda pessoa tem direito à liberdade de pensamento, consciência e religião; este direito inclui a liberdade de mudar de religião ou crença e a liberdade de manifestar essa religião ou crença, pelo ensino, pela prática, pelo culto e pela observância, isolada ou coletivamente, em público ou em particular.
>
> Artigo XIX: Toda pessoa tem direito à liberdade de opinião e expressão; este direito inclui a liberdade de, sem interferência, ter opiniões e de procurar, receber e transmitir informações e ideias por quaisquer meios e independentemente de fronteiras.

Vocês perceberão que essa formalidade será absolutamente necessária para a total clareza e rigor dos meus pontos de vista, uma vez que, sem a mínima verificação mais responsável, eles já têm sido amplamente defenestrados, rechaçados por populares e celebridades, nas ruas e na internet, e por respeitadíssimos órgãos de imprensa, sem a menor cerimônia, com reativa precipitação, truculência, irresponsabilidade, ódio irracional e menosprezo.

Como um aperitivo elucidativo, vocês já devem ter notado, mesmo antes da nossa largada, que a minha singela pessoa, não sendo em absoluto o centro da questão em pauta, já foi esculhambada com nítidas violações de alguns desses artigos por gente da mais ilibada reputação, prestígio e credibilidade, que, ignorando algo por eles aguerridamente defendido com unhas e dentes, ao primeiro momento de alguma contestação às suas convicções, parte para o atropelo e demolição da reputação alheia, a infringir os direitos que tanto defendem.

Isso sem contar a carrada de argumentos legais e factuais para, se assim o quisesse, exigir a devida reparação do governo através dessa mesma Comissão da Verdade, uma vez que fui preso, perseguido e estigmatizado pela força policial e judicial do Estado.

Afinal de contas, a minha prisão (fui condenado a um ano de prisão, sem direito a *sursis*, por portar um galho de maconha e 0,8 decigrama de cocaína) foi imputada sob total inconstitucionalidade, ferindo os direitos básicos de qualquer réu primário, com evidente cunho difamatório, somada a todos os meus cento e tantos processos da mesma natureza, despropositados e arbitrários, espalhados por todo o Brasil. Foi um período de quatro anos consecutivos de constrangimentos, humilhações e ameaças, baseados nos mais absurdos abusos de poder, que estão no escopo de tempo devido (1946 a 1988) previsto nos estatutos e que poderiam ser trazidos à tona pelos mesmíssimos critérios em que a Comissão da Verdade se respalda.

Mas vamos ao que interessa, pois não sou homem de ficar me lamentando por aí nem de permitir minha vitimização, ao contrário de certos picaretas que mamam uma grana do Estado por se declararem supostas vítimas da ditadura.

QUAIS SERIAM AS METAS DA COMISSÃO DA VERDADE?

Comissão Nacional da Verdade. É o nome de uma comissão brasileira criada com o objetivo de investigar violações dos direitos humanos ocorridas entre 1946 e 1988 no Brasil por agentes do Estado. Formada por sete membros nomeados pela presidenta Dilma Rousseff, além de 14 auxiliares, deve atuar durante dois anos e, no final desse período, publicar um relatório dos principais achados, que pode ser público ou enviado apenas para o presidente da República ou ministro da Defesa. A lei que a instrui foi sancionada por Dilma em 18 de novembro de 2011 e instalada oficialmente em 16 de maio de 2012. Pois bem, essas são as finalidades da Comissão da Verdade, e a minha primeira pergunta é:

Sendo uma comissão que se autointitula da Verdade, envolta pela bandeira dos direitos humanos, por que investigar tão somente os crimes de abuso de autoridade, tortura e execução cometidos pelo regime militar, desde já ignorando os artigos I, II, III, V, VI, VIII, XII, XVIII e XIX da Declaração dos Direitos Humanos, quando são evidentes e de domínio público os indícios de assassinatos de pessoas que nada tinham a ver com o regime, execuções de justiçamento de companheiros por manifestarem algum desejo de sair do movimento, sequestros de aviões e de embaixadores, atentados a bomba, torturas e assaltos a instituições financeiras perpetrados por vários grupos de luta armada da esquerda?

Por que partir de uma premissa, sem a menor lógica e justiça, de que somente um lado deverá ser investigado? Só porque é o Estado o único responsável por seus crimes? Isso não se sustenta. Principalmente na circunstância histórica tão peculiar em que foi deflagrada a Revolução de 1964.

Há de se relevar que existia um clamor popular sem precedentes, passeatas, manifestações públicas de dimensões bem maiores do que algumas mais recentes, como o movimento das Diretas Já (uma média de 850 mil pessoas), para que as Forças Armadas tomassem as rédeas do poder e livrassem o país de uma situação caótica, pois ele estava em vias de se tornar uma ditadura do proletariado, de se tornar um Cubão, e isso não pode ser jogado para baixo do tapete da História. E nem a comissão pode prejulgar esses acontecimentos como manifestações de uma classe média reacionária, apenas porque é uma legítima parte do povo brasileiro, portanto passível de ser considerada.

Temos que descobrir a verdadeira causa histórica, os verdadeiros responsáveis pela baderna e a instabilidade que vinham sendo implementadas por esses vários grupos de luta armada, praticando atos de terrorismo e desequilibrando a instituição da República desde 1961, sendo, incontestavelmente, os pivôs da instauração da ditadura militar no país.

Os militares abusaram (e abusaram mesmo) do expediente de torturas e execuções dos guerrilheiros e de pessoas que nada tinham a ver com a guerrilha em questão, se aboletaram no poder, quebrando a promessa de devolvê-lo a um governo democrático, se afastando por completo da sociedade civil, cassando os principais líderes políticos da época, como Juscelino e Lacerda, e isso deve ser devidamente esclarecido. Mas nada justifica o acobertamento histórico de quaisquer outros fatos, independentemente do lado. É apenas a História do país que clama por ser contada de forma equânime, como assim exige qualquer espírito justo e democrático de um povo e de uma cultura.

Pois queremos também saber de toda a verdade sobre esses grupos que estavam patrocinados com dinheiro e armas e recebiam treinamentos de guerrilha, no campo e na cidade, por Cuba, China e a extinta União Soviética. Por que cargas-d'água a comissão não vê necessidade em tocar nesses assuntos?

E o mais incrível é que, nos dias de hoje, basta apenas fazer uma busca no Google que brotará um sem-número de evidências, fatos, documentários, provas que estão sendo cinicamente escamoteados. Uma parte substancial da população exige saber a verdade integral. E isso não pode nos ser negado. Qualquer cidadão brasileiro, independente de partido, credo ou convicção político-ideológica, tem o direito de pleitear ao governo e, ao mesmo tempo, à Comissão da Verdade, todas as faces da história. De outra forma, a Comissão da Verdade será apenas uma patética Omissão da Verdade.

Responder que as mais de quarenta comissões da verdade espalhadas pelo mundo foram sempre unilaterais, não é, definitivamente, argumentação sustentável para a nossa comissão seguir o mesmo exemplo, pois, uma vez constatado o equívoco e a falta de equanimidade no procedimento das comissões precedentes, todos nós, seres de boa vontade, chegaremos à conclusão de que um erro não justifica o outro.

Principalmente quando esse procedimento, antes de mais nada, fere vários artigos da Declaração dos Direitos Humanos, sem falar da própria Constituição brasileira.

Outros aspectos assustadores e bastante sintomáticos desse obscuro processo são fatos aparentemente corriqueiros, como o grupo Tortura Nunca Mais, em 1997, ter realizado uma cerimônia de condecoração póstuma, dando a medalha Chico Mendes de Resistência a um dos maiores e inquestionáveis assassinos do século XX, Ernesto Che Guevara, alegando um mérito concedido a pessoas que lutaram por... direitos humanos (!!!).

Estamos falando de fatos e não adianta se indignar tapando o sol com a peneira, despotencializando a informação, como fizeram certos alemães depois que o mundo descobriu as atrocidades perpetradas nos campos de concentração nazistas, alegando ser propaganda falsa dos americanos.

Querem saber mais? Procurem saber! Procurem saber! Leiam livros repletos de fatos. Eles estão todos à mão de qualquer cidadão. Tentem achar os discursos de Che Guevara. Vocês irão ver, ouvir e ler inúmeras barbaridades, proferidas e escritas por ele próprio. Sem possível edição ou filtragem de qualquer "mídia golpista".

Já são de domínio público as atrocidades praticadas na fortaleza de San Carlos de la Cabaña e suas centenas de fuzilamentos sumários. Fora os que eles metralharam em alto-mar por tentar escapulir do regime, das outras dezenas de milhares que foram ou estão presas por não compartilharem as ideologias em vigor em Cuba, mais outras centenas de milhares que tiveram de fugir da ilha, fora os outros infelizes que perderam por completo o direito de ir e vir, de livre expressão, fora a prostituição reinante para poder adquirir coisas básicas para se viver, como um saco de leite etc.

Já são de domínio público as ligações profundas que os atuais dirigentes do Brasil têm com Cuba desde sua revolução. E com o Irã também! Fato que acabou virando piada internacional.

O mesmo ocorre com o acesso a informações de que elementos deste governo foram para Cuba, ingressaram na polícia secreta especial do regime e participaram ativamente de centenas de execuções de civis.

Na visita de Yoani Sánchez ao Brasil, em fevereiro de 2013, tivemos que engolir o lamentável episódio da ingerência do governo cubano em território nacional na tentativa de aniquilar a reputação da blogueira com a bovina submissão e cumplicidade do governo brasileiro, acabando por desmoralizar de vez seus anseios reais e genuínos por justiça e deixando bem clara a assimetria de pesos e medidas relacionada aos direitos humanos. Um papelão vergonhoso.

Um governo que age dessa maneira não tem a menor condição moral de exigir absolutamente nada de ninguém.

E tem mais: se abominam tanto a tortura, por que o Estado brasileiro é um dos campeões de tortura e assassinatos de presos no mundo? Nem preciso recorrer ao Google nem ao Arquivo Nacional ou outras fontes, pois eu mesmo, enquanto estava preso, presenciava meus colegas de cela passarem por sessões de tortura que duravam a noite inteira, em que se arrancavam unhas e se provocavam queimaduras de cigarros por todo o corpo, fraturas expostas, afogamentos (*waterboarding*), fora as dezenas de execuções sumárias realizadas no traslado dos presos entre a delegacia e a penitenciária.

Foi muita cara de pau da nossa governanta, Dilma, declarar numa visita aos Estados Unidos, em plena Universidade Harvard, durante uma sessão de perguntas feitas pela plateia, a incapacidade do país de impedir a tortura e as mortes nas prisões. E ter o descaramento de dizer: "Eu sei o que acontece, não tenho como impedir em todas as delegacias do Brasil de haver tortura." (!)

Se a presidenta do Brasil é uma impotente confessa quanto à persistência da tortura nas prisões, quem poderá fazer algo? Qual a sua moral em decretar a existência de uma Comissão da Verdade para averiguar... tortura?! E, por sombria e descarada coincidência, no mesmo período em que ela própria foi vítima? Deprimente.

Nos dias de hoje, mata-se mais e tortura-se mais no sistema presidiário brasileiro em um mês do que em todo esse período da ditadura militar! Isso está ocorrendo neste exato momento, enquanto vocês estão lendo estas linhas!

Já é de domínio público a omissão completa por parte do governo em pôr em prática o mecanismo de prevenção à tortura, conforme compromisso assumido na ONU, em 2008. Imaginem quantos mortos e torturados já foram produzidos durante todos esses anos nas barbas do governo, sem que se tomasse uma única e singela providência?

O governo brasileiro também reluta há meses em dar publicidade ao relatório do Subcomitê de Prevenção da Tortura da ONU, que visitou o Brasil em 2011, mostrando que o país falha repetidas vezes em adotar medidas capazes de coibir a prática desse crime em centros de detenção provisória, presídios e unidades socioeducativas. Atitude inadmissível, sob qualquer circunstância, sendo mais grave e cínico ainda por ocorrer num momento especialmente sensível e emblemático, com a Comissão da Verdade sendo implementada sob a chancela do governo.

Fora tudo isso, não esqueçamos que o Brasil é campeão mundial de assassinatos, 50 mil mortes por ano, quando, pelos órgãos internacionais, para se reconhecer em termos estatísticos um estado de guerra civil, são necessárias 10 mil mortes. Isso é inadmissível. E na nossa cara!

São 110 mil mortes violentas por ano (60 mil são acidentes rodoviários).

A declaração da nossa presidenta gerou uma nota de repúdio assinada por várias instituições de incontestável prestígio e credibilidade como o Instituto Vladimir Herzog, a Pastoral Carcerária, o Centro de Direitos Humanos Dom Oscar Romero, a Conectas Direitos Humanos, o Instituto Terra, Trabalho e Cidadania, o Instituto de Estudos Socioeconômicos, a Justiça Global, a Associação dos Cristãos para a Abolição da Tortura, a Associação Brasileira Interdisciplinar de Aids e o Instituto de Desenvolvimento e Direitos Humanos.

O próprio ministro da Justiça, José Eduardo Cardozo, num ímpeto sincericida, declarou que, no estado medieval em que se encontram as prisões no Brasil, se por acaso fosse preso nesse sistema carcerário (sistema que é de responsabilidade do Ministério da... Justiça!), preferiria morrer!

Assim fica difícil querer achar parâmetros reais de justiça, muito menos de qualquer... verdade! É com essa mentalidade que vamos nos submeter sem fazer a mínima objeção?

Sem falar de comportamentos ridículos, rancorosos e absurdos, como sucatear as Forças Armadas. Um dos resultados desse abuso irracional é termos um Exército com apenas uma hora de munição!

E a associação do PT com as Farc, que é associada ao PCC. Vamos averiguar? Afinal de contas, o PT e as Farc fazem parte do abominável Foro de São Paulo, que tem como uma de suas metas principais transformar a América do Sul em uma união de repúblicas socialistas para substituir o bloco europeu da Cortina de Ferro (falarei mais a respeito do tal foro em outro capítulo), assim como o MIR e os Tupamaros.

A Comissão da Verdade responde que "vai averiguar um lado só", como declarou seu presidente, o diplomata Paulo Sérgio Pinheiro. Um exemplo clássico e universal dessa assimetria está num texto de Slavoj Žižek (escolhi Žižek por ser ele um pensador de esquerda): "Que tipo de politização [os que intervêm em nome dos direitos humanos] põem marcha contra os poderes que se opõem? Eles defendem alguma formulação diferente de justiça ou se opõem a projetos de justiça coletiva?"

E por que essa indiferença brutal com os presos comuns? O que os ditos presos políticos têm de especial para serem tratados dessa forma obscenamente privilegiada? Vida é vida, não é verdade? Isso é patético.

Vocês devem conhecer aquele dito popular: "Se meu inimigo perder a possibilidade de se expressar, sob qualquer pretexto, sairei a defendê-la até a morte." Parece que esse tipo de mentalidade não passa pela cabeça dessas pessoas que sempre tiveram o péssimo hábito de se mostrarem acima do Bem e do Mal. Essa verdade absurda pleiteada pela comissão nos força a concluir e a pensar como seus integrantes, adotando a sua lógica oblíqua: "Não há nada importante a se averiguar antes de nós nem contra nós, muito menos em solucionar o presente, um desastre tenebroso, que é responsabilidade única e exclusiva nossa. Só nós somos dignos de sermos reparados pela História. O Outro? Foda-se o Outro."

E se você quiser emitir uma opinião que não esteja alinhada aos cânones do governo, desaba o mundo na sua cabeça. O cerceamento de liberdade de opinião é claro e escancarado. A livre comunicação de pensamentos e opiniões é um dos direitos mais preciosos do homem. O Estado tem obrigação de dar esse respaldo a todo cidadão, independentemente de hierarquia ou ideologia.

Depois disso tudo eu pergunto: então o louco sou eu? Por todos os motivos acima mostrados, dentro da lógica da nossa presidenta e da nossa Comissão da Verdade, poderíamos argumentar que, devido a um suposto ideal nobre (seja lá qual for), assassinar a presidenta da República seria um feito libertário, benéfico e ansiado por uma suposta parte representativa da população, uma execução sumária e legítima, perpetrada por uma ação popular armada, redentora, articulada e treinada para destituir do poder uma tirana cínica, mentirosa, uma genocida passiva, injusta e incompetente. E, logo em seguida, pleitear um heroico lugar de honra na História do país, ou melhor, exigir um feriado nacional em homenagem à data de semelhante feito, colocar uma placa de bronze no local de sua execução para reconhecer o mérito daquela higienização tão aguardada e, quem sabe, uma estátua para o grupo de guerrilheiros libertários exibir, impávidos, a cabeça da ex-mandatária em praça pública, tudo, é claro, chancelado e protegido pelos mais altos ideais.

Pois quem imputa a exclusividade de boa qualidade dos seus ideais é sempre aquele que exige o justiçamento do Outro, sempre um vilão, uma máquina assassina, isentando-se, por sua vez, de qualquer responsabilidade, de qualquer crime. É bizarra e inadmissível a situação em que nos encontramos, de reles presos sem nenhuma razão nem desculpa de serem tratados com essa negligência genocida, de obrigações que o Estado, reincidente no crime, não vem cumprindo por todos esses anos.

E agora com os larápios do PT na cadeia, querem fazer das prisões hotéis de cinco estrelas.

Bem, por tudo isso aqui escrutinado, ponderado e exposto, só temos uma única e lamentável conclusão a fazer: quem quer que venha a se achar no direito de adotar um peso e duas medidas para averiguar os podres da História, quem se acha com mais direitos do que o Outro, seja lá quem esse Outro for, não está, de maneira alguma, procurando verdade em nada. Está simples e grotescamente procurando revanche, além de se autofavorecer numa sórdida falácia histórica, posando de herói libertador da pátria. Está colocando a verdade da História do país dentro da latrina. Está enganando, fraudando, escarnecendo da memória de todo um povo. Além de, nesse caso, para piorar, e muito, a situação, ser uma máquina de tortura e de assassinato em série através de seu sistema prisional.

Quaisquer pessoas, instituições, partidos políticos ou comissões que porventura se deem o direito de pensar, agir e julgar dessa maneira cínica, descarada e sem-vergonha só poderão ser reconhecidas por todos nós, cidadãos comuns, e pela História desse país como, simplesmente, um bando de canalhas.

CAPÍTULO 4

POR QUE O ROCK CONTINUA ERRANDO?

Depois de 36 anos sendo músico profissional, eu ainda me pergunto: por que será que aqui no Brasil nós temos tanta dificuldade em lidar com esse tal de roquenrou?

Não estou falando sobre o comportamento em si, pois, no próprio rock, temos uma imensa gama de comportamentos, todos eles devidamente absorvidos pelo nosso imaginário, como o hippismo, o punk, o metal, o rock gospel, o rock farofa. Estou falando, além de uma resistência muda a sua real inclusão como cultura brasileira de fato, dos elementos estéticos, que envolvem timbre, tecnologia, potência e arrojo. Aí o Brasil empaca.

O hippismo caiu como uma luva na nossa maneira de ser, conseguindo reduzir um subgênero aguerrido do rock como o reggae a uma cantilena arrastada de paz e amor piegas, cafona e brocha. E por falar em brochura, por seu turno, as gravadoras travestiram uma meia dúzia de *boy bands* com aqueles garotos amestrados por produtores inescrupulosos, todos eles com aquela indefectível cara risonha de paisagem, produzindo um arremedo de rock coloridinho, infantiloide e idiota.

Os punks também conseguiram se inserir no contexto, mas sempre na marginalidade, sempre no underground.

O metal possui uma legião de fãs em todas as regiões do país, provavelmente por um parentesco estrambólico com o sertanejo, por meio daqueles falsetes histéricos de seus *crooners* (maldade minha).

E, sendo assim, décadas entram, décadas saem e o Brasil sempre vai enterrando a história dos movimentos de rock. Enterra a grande maioria, e o que resta traveste de algo adocicado, morno, molenga ou brega, como aconteceu com a Jovem Guarda, como aconteceu com a Tropicália e com a geração dos anos 1980.

As gravações aqui no Brasil, em todos os estilos, sempre foram de péssima qualidade. Você pega um disco de escola de samba dos anos 1970 e pega um disco do último carnaval, é praticamente o mesmo som. Uma porcaria. Uma bagunça, uma lambança. E não ficamos só na gravação de samba, não! A MPB, o rock, o sertanejo, tudo é absolutamente malgravado, sem preocupação com timbre, com a interação de voz e instrumentos. Quanto a ter alguma assinatura, alguma característica que você reconheça, como um som de Nashville, de Chicago, de Nova York ou o som de Abbey Road, e assim por diante, isso nem passa pela cabeça de ninguém. Por quê? Por quê?

Uma das causas está nessa tecnofobia atávica e outra está no nosso barroquismo cultural: para nós, o importante é ouvir a “mensagem da letra”, o cantor, o canário. A regra, sem exceção, é um som chapado bidimensional, com uma voz altíssima na frente e uma maçaroca amorfa atrás, "de acompanhamento". Temos um orgulho inexplicável em jactarmo-nos de ser verdadeiras bestas tecnológicas. Pega bem, no metiê, chegar e dizer: "Puxa vida, eu tenho pavor de entrar em estúdio, gente."

Existem histórias engraçadíssimas sobre comportamentos prosaicos de nossos astros da canção popular, do tipo a seguir: chega um astro da MPB no estúdio, ouve a mixagem e se ressente de alguma coisa... Daí ele se dirige ao técnico de som da seguinte maneira: "Fulano, sinto que está faltando uma... uma coloração na aura." (?) E o pobre técnico de som, aturdido e perplexo, pergunta: "Mas aura? De quê, onde? Quer mais grave? Agudo? Quer mais voz? Mais baixo? Mais piano? Qual a frequência sonora que falta?" E nosso astro: "Ah! Num sei explicar! É pura intuição... mas que falta uma coloração na aura, ah, isso eu sinto aqui, ó..." E faz um mímica ritualística de babalorixá com os braços e as mãos a sacolejar, mostrando um hipotético e combalido halo a seu redor, clamando por uma coloração intangível!

Com isso, criou-se uma tradição de confeccionar um "canal placebo" para esses astros e *astras* da MPB. Ao pedirem mais coloração de aura, o técnico começa a subir e descer de maneira cenográfica, botões desligados, para a satisfação psicológica do astro, olhando para a cara do astro, até ele se pronunciar. Isso tudo depois de uma pausa de muita concentração: "Ah, não mexe mais, agora você achou o ponto que eu queria!... Agora, sim, rolou a coloração da aura!"

E com esse *know-how* abissal etc. e tal, são produzidos os discos de MPB.

Os discos de rock sofrem de outra maneira. Geralmente, os artistas de rock, pela própria natureza do estilo, já são mais bem-informados em relação à tecnologia, aos procedimentos de gravação, mixagem e masterização. Contudo, enfrentam uma barreira intransponível: não se pode produzir nada com "peso" ou "mais barulhento", ou algo "mais agressivo". O produtor (que é o cara que manda e, não raro, acaba tocando os instrumentos da banda contratada) não permite. Senão, segundo os cânones estético-radiofônicos do produtor, não toca no rádio. E invariavelmente seu disco sai com um som de cocô enlatado.

Ou seja, guitarra elétrica bem-timbrada? Nem pensar. Tem que ser baixinha e com um tratamento sonoro o mais sarapa (vagabundo) possível. A bateria? Somente a caixa pode ter alguma proeminência (e sempre com um som horroroso); o resto tem que ficar lá atrás da mixagem.

O baixo? Não pode ser muito grave, senão atrapalha a voz do cantor! E assim por diante. A regra é jamais arriscar NADA e seguir bovinamente o que o produtor dita.

A guitarra elétrica é o nosso principal antifetiche. Existe uma tradição desde os anos 1960 de que, na hora da mixagem dos grupos de rock (mixagem, para quem não está familiarizado, é o momento em que se equilibram todos os instrumentos e vozes gravados previamente em canais separados, enviando-os para apenas dois canais, o estéreo da sua casa, proporcionando a possibilidade de alterar volume, timbre e lado — direito ou esquerdo — de cada instrumento e voz gravada), as gravadoras convoquem os programadores das rádios de maior audiência para inspecionar e acabar com o som da guitarra. Ou tirando seus efeitos ou diminuindo seu volume ou a substituindo... por um violão!

O negócio é retirar o peso, a agressividade, pois o brasileiro, segundo eles, é muito romântico e se assusta com sons mais violentos.

E o mais patético é que esse produto final estuprado, deformado, edulcorado, despotencializado, diminuído, vai tocar nas rádios, borocoxô-borocoxô, do lado das bandas inglesas, americanas, alemãs, japonesas, que, sem exceção, cimentam as bandas "tupiniquins". Sempre com a argumentação de que o público brasileiro detesta guitarra elétrica. Mas se isso é verdade, por que temos milhões de pessoas fãs de rock 'n' roll de todos os tipos, feitios e idades?

E olha que nós temos grandes guitarristas como Andreas Kisser, Edgard Scandurra, Luiz Carlini, Sérgio Dias, Catatau, Toninho Horta, Marcelo Gross, Lúcio Maia, Lulu Santos, Frejat.

Por que sempre há uma força muito estranha em nossa concepção cultural (por parte dos intelectuais, empresários e radialistas que "pensam" o Brasil) que obriga todo tipo de manifestação que denote potência, timbre, arrojo e tecnologia a ser severamente censurado e apartado da possibilidade de pertencer à cultura tida como brasileira?

Vocês poderiam cogitar que nós nunca tivemos "cacoete" para o rock, mas isso não se sustenta com um histórico de quantidade e qualidade de grandes artistas, que heroicamente se destacaram praticando esse gênero tão refutado, através das décadas, como Erasmo Carlos, A Bolha, Lafayette, Som Nosso de Cada Dia, Módulo 1000, Renato e seus Blue Caps, Os Incríveis, Barão Vermelho, Os Mutantes, Arnaldo Baptista, Rita Lee, Tutti Frutti, Luiz Carlini, Raul Seixas, Autoramas, Sepultura, Júlio Barroso e a Gang 90, Renato Russo, Ira!, Ultraje a Rigor, Ratos de Porão, Inocentes, Planet Hemp, BNegão & Seletores de Frequência, Vanguart, Cássia Eller, Edgard Scandurra, Cascadura, Mombojó, Chico Science e Nação Zumbi, Mundo Livre S/A, Otto, Cachorro Grande e uma centena de outros tantos mais.

Agora, alguns se tornaram MPB ou românticos, como Roberto Carlos (que era genial e virou uma múmia deprimida), o meu querido Cazuza, que depois de morto foi travestido de MPBista de raiz, o Arnaldo Antunes, que virou tribalista, ou não, Sérgio Reis, que virou sertanejo, eu mesmo, tornado MPBoide quando toco em rádios de perfil "adulto contemporâneo", só entrando na programação as baladas românticas ou as versões acústicas, e assim por diante.

E com essa produção voluptuosa de artistas desse calibre, o rock é evaporado a cada década e, invariavelmente, um jornalistinha em início de carreira te pergunta "Como é a sensação em ser da primeira geração do rock brasileiro?", ignorando por completo que já fazemos rock desde os anos 1950, desde Celly Campello, nos anos 1960, The Fevers, The Pop's, The Silvery Boys, Renato e seus Blue Caps, sem falar que ser taxado de roqueiro ainda pode ser considerado um insulto, um rebaixamento à condição de pária cultural.

Devido a esse comportamento repetitivo em relação ao conceito da nossa autoimagem, temos verdadeiras pérolas da jequice, proferidas pelas mais diversas luminárias das nossas letras, sobre o que é ser ou não ser considerado nacional da gema. Temos o nosso gigante, Graciliano Ramos, que, sob o pseudônimo de J. Calisto, em 1921, vaticinou uma profecia de precisão assustadora: disse que o futebol jamais se tornaria um esporte nacional, por ser importado da Inglaterra, incompatível com nossa índole. Mas nada melhor para ilustrar essa joia de apreciação do que com as suas próprias palavras: "Não seria, porventura, melhor exercitar-se a mocidade em jogos nacionais, sem mescla de estrangeirismo, o murro, o cacete, a faca de ponta, por exemplo? Não é que me repugne a introdução dessas coisas exóticas entre nós. Mas gosto de indagar se elas são assimiláveis ou não." Não é lindo?

Pois bem, décadas após essa estonteante prospecção, ocorre um episódio de extrema ironia por mim vivenciado, que acredito valer a pena ser contado. Lá pelos idos de 2003, fui convidado pelo então ministro da Cultura, Gilberto Gil, para uma cerimônia no Palácio do Planalto. Sim! Eu havia recém-entrevistado o ministro para a minha finada revista *Outracoisa*, para tentar extrair dele alguma opinião sobre o jabá, uma vez que estávamos com uma lei de criminalização na Câmara dos Deputados e precisávamos do apoio do ministro, cantor, compositor e ser histórico. Essa entrevista durou umas duas horas em seu gabinete em Brasília, e ele, com sua virtuosa técnica de evasão verbal, formulou circunvoluções acrobáticas de altíssima estupefaciência, algo que soava como "...a reverberação cósmica da parafuseta interferirá nas ondas cerebrais, provocando uma sensação telepática de integração universal da alma coletiva com a alteridade de ser o não ser, para que, então, a poesia da ciência introjete-se por completo na razão da emoção" (?).

E declaração sobre o jabá que é bom, nada... escapuliu mais uma vez. E por isso, ou apesar disso, criou-se um vínculo inesperado entre nós. Pelo menos, inesperado pra mim. Daí, presumo, que saiu o tal convite para a cerimônia no Planalto. Além de me convidar efetivamente, logo em seguida me telefona um assessor seu me pedindo o esdrúxulo e surreal favor de, "se fosse possível, já que eu era um colega de profissão (!), que eu trouxesse o violão do ministro comigo, pois ele iria dar uma canjinha na tal cerimônia".

Isso é que chamo de quebra total de protocolo.

Sem muitas alternativas, um tanto surpreso, um tanto constrangido, meio que numa sinuca de bico, aceitei o pedido. Contudo, conhecendo a índole de nosso então ministro, fiquei com duas pulgas atrás das duas orelhas. Quando desembarco no aeroporto de Brasília com aquele improvável trambolho a tiracolo, sou recebido solenemente por um carro oficial e levado direto ao Ministério da Cultura.

E lá ia eu, griladão, a bordo de um carro chapa branca do ministério, doido para entregar aquela incômoda encomenda a seu dono. Chegando ao gabinete do ministro, me livrei do instrumento o mais rápido possível e, logo em seguida, me conduziram para outro prédio, para um salão enorme onde já ocorria uma série de discursos das mais altas autoridades da nossa República. Havia uma cadeira especialmente reservada a minha pessoa, logo na primeira fila.

Bom, é aí que eu queria chegar. É nesse momento solene que acontece o episódio emblemático que corrobora os nossos paradoxos incuráveis. A história do Gil é só pra dar um colorido especial, uma apimentada, uma coloração na aura do "causo".

Eis que sobe ao púlpito o nosso ilustríssimo senador Aloizio Mercadante, que, em meio ao seu emocionado discurso, lança um pensamento que me arrebatou! Proferiu algo do tipo: "Meus amigos, temos que lutar pelo que é genuinamente nosso, como o futebol. Eu jamais gostaria de presenciar um filho meu jogando futebol americano ou beisebol. Futebol, sim, é coisa nossa, não podemos deixar que coisas estrangeiras invadam nossa cultura." (!!!)

Após ouvir uma coisa dessas, foi inevitável pensar em nosso saudoso Graciliano e seus delirantes prognósticos nacionalistas, pensar no intrigante paradoxo... futebol é cópia de inglês, futebol é coisa nossa, e concluir como nós somos soberbos em relação à absorção de cultura externa.

Só pra finalizar o episódio da festança lá do Palácio do Planalto: no dia seguinte, já em casa, abro um jornal carioca e, surpreso, leio na manchete do seu glorioso caderno de cultura algo como "Lobão, de violão embaixo do braço, vira *roadie* do ministro Gilberto Gil".

Voltando ao assunto em questão, para além do futebol, no caso do roquenrou, fora esses empecilhos acima descritos, ainda temos de conviver com a famigerada "proteção de mercado", que acaba com a possibilidade de implementarmos uma qualidade tecnológica realmente competitiva e profissional: as taxas de importação são proibitivas e a indústria nacional, a despeito de esforços heroicos de alguns empreendedores, jamais conseguiu sair da total indigência em termos internacionais.

E por falar em leis de proteção de mercado, existe uma outra, famigerada, que exige a presença de artistas brasileiros em festivais internacionais. Mais uma vez, o que era para proteger vira contra o artista, pois, com essa obrigação, o empresário acaba contratando goela abaixo o produto nacional e o tratamento é, inevitavelmente, de última. Pior para todos.

Ao invés de haver uma infraestrutura no nosso dia a dia — que permita a esse tipo de cultura existir de forma normal, prosperar e, assim, por merecimento e vontade do público e do empresário, ingressar pela porta da frente dos festivais —, acabam por enfiar os artistas brasileiros em palcos coadjuvantes, em horários pouco significativos, com visibilidade, som, luz, tudo sensivelmente inferior.

Agora, se você tentar modificar a situação, como aconteceu comigo no bisonho "episódio Lollapalooza", você se fode em verde e amarelo.

Contarei a história como se passou:

Fui contatado pela produção do festival Lollapalooza para tocar em sua primeira edição brasileira, fato esse que muito me entusiasmou por ser um festival mais para o alternativo, sem a grandiloquência de um Rock in Rio. Já havia uma promessa contratual escrita e, às vésperas do evento, a inevitável assinatura do contrato definitivo. Foi quando me deu um estalo e cismei em telefonar para o produtor nacional do festival para saber de mais detalhes. Aí a coisa encrencou. O nosso estimado produtor me esclareceu efusivamente que eu iria tocar no horário "filé" das bandas nacionais, o que muito me deixou espantado, pois, de cara, já revelava um apartheid entre as bandas nacionais e as internacionais. Algo estranhíssimo para aquele festival de cunho alternativo, cuja tradição era de incrementar a integração das bandas, e o que estava me sendo informado era justamente o contrário. Eu iria tocar às duas da tarde, ou seja, todos os outros artistas brasileiros iriam tocar antes de mim!

Eu exclamei assustado: "Mas o que é isso? Assim é muito barra pesada! Apartar os artistas brasileiros do resto do festival é no mínimo esculhambante!"

Ele tentou me explicar que o festival tinha suas regras quanto à escolha do *line-up*, que havia sido uma exigência "dos gringos" e que não me preocupasse com o horário, pois era um festival de características diurnas, e eu voltei à carga alegando saber disso tudo, mas as atrações "filés" começariam a tocar ao cair da tarde, quando o sistema de luz faz a diferença, e eu só tocaria se fosse incluído para tocar pelo menos no fim da tarde, mas às duas da tarde, de jeito nenhum.

Ele tentou me alertar mais uma vez sobre o fato de "os gringos serem durões" e terem regras muito restritas em relação aos artistas brasileiros e que não havia essa opção: ou eu tocava às duas da tarde ou nada feito.

Nada feito.

Qual seria o problema em integrar todos os artistas de todos os lugares? Por que criar essa situação de afastamento de grupos?

O produtor, em tom melífluo, acenou com uma entrevista especial na *Rolling Stone* comigo, o Marcelo Nova e o Perry Farrell, mas, já que eu me recusava a tocar, a entrevista estava, desde então, cancelada. Bem, só me restou dizer a ele que fizesse bom proveito da tal entrevista, pois eu já havia decidido não assinar mais o contrato.

Desliguei o telefone e pensei: "Bem, não perdi nada..."

Isso aconteceu numa sexta e a tal entrevista seria realizada na segunda.

Enquanto isso, eu tinha um show em Belém do Pará no sábado, e durante a viagem fiquei matutando e intuí que, se não tomasse uma atitude pública, eles poderiam inventar alguma coisa e que, talvez, eu pudesse convencer meus colegas a não tocar no festival. Comecei a escrever a história com a intenção de divulgar o texto na internet. Fiquei grande parte da viagem elaborando o conteúdo, quando a minha querida assessora para assuntos da internet, a Sheila, que estava no voo, me deu uma ideia de maior espectro: realizar um pronunciamento filmado comigo falando, explicando o acontecido e, claro, convocando os artistas nacionais a fazer o boicote ao festival, usando como arma justamente a infame lei de proteção ao artista nacional, que impede o festival de ser realizado se não houver atrações brasileiras.

Eu logo pensei: bom, se sou o mais bem colocado em termos de horário, será muito fácil convencer os outros artistas a não participar do evento, proporcionando uma paralisação em sua realização. Isso, no meu entender, poderia mudar muito o rumo não só das negociações, mas de qualquer outro festival dali em diante.

Afinal de contas, ninguém ali queria nenhum absurdo, nenhum pedido fora de propósito, apenas o devido respeito com a nossa história, com nossos nomes, e não nos expor numa situação pífia daquelas. O que sempre almejei em festivais internacionais foi a integração com outras bandas de outros países, trocar informações, eventualmente fazer umas *jams*, como todo mundo faz.

Quando chegamos em Belém, nos aboletamos no restaurante do hotel, eu dei uma ensaiada no que iria dizer e, via iPad, a Sheilinha me gravou.

Imediatamente colocamos no YouTube, e em meia hora já tinha mais de 150 mil visitas.

A *Folha de S.Paulo* me telefona pedindo um artigo para segunda. Eu teria um prazo para entregá-lo até o domingo de manhã e tinha show na madrugada de sábado. Topei. Dormi uma hora e meia depois do show e acabei por entregar o artigo 15 minutos antes do prazo final. Beleza!

Só me restava esperar até segunda pra ver o rolo que daria, enquanto as visitações no YouTube arrebentavam. Sinceramente, eu confesso a vocês estar convicto de que, por causa da imposição absurda e humilhante da produção do festival, todos os artistas haveriam de topar o boicote... mas um silêncio absoluto já anunciava a olímpica amarelada.

Na manhã de segunda eu ligo meu computador para assistir ao vivo a apresentação oficial do Lollapalooza versão brasileira. Apreensivo, assisto ao vocalista do Jane's Addiction apresentando exclusivamente as atrações internacionais e meio que se desculpando por não ter tido tempo de se informar sobre as atrações locais, e disse que achava o cantor do Rappa... sexy (!).

Logo em seguida ele passa a bola para o produtor das atrações nacionais, que começa sorrindo e anuncia a seguinte mensagem: "O Lobão, vocês sabem como é que é... tem muito talento, mas é meio lunático, ficou por aí dizendo que o *line-up* seria separado entre atrações nacionais e internacionais... Loucura... Imagina! Isso nunca aconteceu. Lobão é mesmo um cara muito louco, he, he..." etc. e tal... E começou a anunciar as datas... todas trocadas!

Eu, sinceramente, poderia esperar tudo, menos aquela encenação surreal, e comecei a teclar no Twitter, tentando alertar sobre a farsa que se impunha na maior cara de pau. Foi quando o gabaritado jornalista Jamari França me tuitou dizendo que tinha ficado com a pulga atrás da orelha e foi investigar o fato, perguntando aos outros artistas contratados se era verdade o que eu tinha dito. Para meu espanto, segundo ele, todos afirmaram que eu estava maluco, que nunca havia acontecido esse formato excludente de *line-up*, que o pessoal do festival estava sendo muito gente fina com eles.

O jornalista, não satisfeito, resolveu perguntar a outros artistas que haviam participado de outros festivais do mesmo formato se aquilo procedia. E eles afirmaram que, infelizmente, o sistema era de intimidação, tipo pegar ou largar, e outras coisas mais. Ainda tive que ouvir o nosso querido Perry Farrell me dar um conselho: quando um dia eu tivesse alguma música transformada em hit, eu poderia, sim, pleitear fechar o festival (!).

Quer dizer, chute no saco, dedo no olho e, mais uma vez, eu banquei o idiota: nada se encaixava em nada. Uma farsa. Não sei por que cargas-d'água ninguém da imprensa explicou ao Farrell a minha situação de artista veterano com pelo menos duas dezenas de hits nacionais e jamais havia pleiteado fechar o festival. Pois, por aquele critério, por sua lógica, pelo número de hits, seria eu realmente a fechar o festival.

E no meio dessa baixaria toda, o que pedi foi um lugar mais decente, ao cair da tarde, para poder me valer da iluminação no meu show e talvez fazer contato amigável com um músico de alguma banda.

Durante aquela bagunça, o Farrell, já apavorado com a pressão que estava levando, confessou, entre tantos outros foras, que a versão brasileira do festival era apenas um remendo financeiro para realizar a versão chilena, essa, sim, completa, com a Björk. Que ele amava o Brasil etc. e tal...

Também não podemos esquecer da apresentação do Roger com o Ultraje a Rigor, no SWU, um mês antes, fazendo um show memorável num espaço de cinco metros quadrados, desfilando um hit atrás do outro, com a plateia em delírio, sendo inexplicavelmente enxotado do palco em rede nacional.

Isso tudo para depois me deparar com algumas criaturas indignadíssimas com a petulância de minha recusa de tocar às duas da tarde, que vinham com a absurda indagação: "Afinal de contas, quem é você pra querer fechar um festival internacional?"

Apesar de tudo isso, sou um otimista. Não vejo motivo real para nos colocarmos tão vacilantes e inseguros sempre que nos metemos em relações internacionais, exceto por termos entranhada essa mentalidade insular que nos aparta do mundo exterior. Um pouco de petulância não faz mal a ninguém.

Tenho absoluta certeza da qualidade, da criatividade, da excelência de uma enorme quantidade de artistas, tanto os que já estão aí na luta há um tempão quanto os da nova geração, uma safra cheia de novas sonoridades, novos conceitos, novas estéticas, com mais ousadia e atitude, pronta para fazer a diferença nessa pasmaceira que é o cenário musical brasileiro, com suas numerosas bandas, instrumentistas, cantores e compositores.

Eu nutro verdadeira esperança de algum dia não mais aceitarmos essa posição acanhada e diminuta diante do mundo, tomando, de uma vez por todas, a tão ansiada vergonha na cara e erguendo, assim, altaneiros, a cabeça, convictos do nosso valor, orgulhosos do que produzimos, a nos impor, não por conceitos nacionalistas recalcados de malandro-agulha, mas unicamente por nosso mérito quando, por fim, deixaremos de ser um povo a amarelar em qualquer situação de maior pressão e que, livres dessa pouco edificante síndrome de capacho de *rendez-vous* tupiniquínica, possamos escrever páginas mais gloriosas da nossa História.

CAPÍTULO 5

O REACIONÁRIO

Estamos em um período em que há pessoas que vivem para o Estado e não o Estado para as pessoas. Num período em que a opinião contrária está sofrendo reações sem precedentes. Nunca antes na história deste país a expressão "patrulha ideológica" foi tão precisa e sombria. Nem mesmo nos anos 1960/1970, quando a inventaram.

Para deixar mais claro o que estou dizendo, vou contar um episódio que me aconteceu para, logo em seguida, entrarmos no assunto propriamente dito. Vocês devem ter ouvido falar na lei Rouanet, não é? Vocês devem também saber que o intuito dessa lei é fomentar a cultura, ajudar artistas em começo de carreira, artistas que transitam em segmentos menos populares, empreendimentos de arrojo artístico, sem muito compromisso com o mercado, podendo ser das áreas de cinema, teatro, dança, música etc.

Pois bem, até aí eu acho lindo e a aplaudo de pé, mesmo preferindo que o Estado não se manifestasse na iniciativa privada, todavia, como não poderia deixar de ser, esse belo empreendimento de auxílio à cultura tornou-se um balcão de negócios dos mais despropositados e picaretas.

Como o nosso showbiz tem graves defeitos de infraestrutura, como a meia-entrada (50% deduzidos do seu valor são uma bomba atômica na sua agenda de trabalho e no seu orçamento) que o governo nos tributa e, por incrível que pareça, não dá a menor bola para os catastróficos resultados. Não estou aqui querendo destituir ninguém da meia-entrada, seja ela de estudante, seja ela falsificada, muito embora o número de carteiras falsificadas seja alarmante. Estou, sim, exigindo uma reparação automática do governo, que nos tira esse percentual monstruoso e não faz nada. Vocês já imaginaram, ao término do mês, chegar uma grana 50% menor do que se esperava receber? Simplesmente metade do seu salário? Vocês já imaginaram um advogado fazer o seu serviço e, de repente, uma criatura apresentar uma carteira que lhe concedesse 50% de desconto? Sem haver nenhum modo de reparo.

Os planos de saúde funcionam mais ou menos assim, né? Sempre com o devido ressarcimento. Mas com artista, não. Não imagino o que passa pela cabeça dos governantes para adotarem essa medida absurda com essa sem-cerimônia toda. Fora os problemas de logística nos aeroportos, estradas em péssimas condições, um Ecad que só nos complica e se nega a ser transparente em sua arrecadação, com o beneplácito do governo, e uma Ordem dos Músicos que só nos obriga a pagar sua taxa anual para nos retribuir com uma inutilidade absoluta.

Com tudo isso para resolver, o nosso governo segue com a lei Rouanet e eis que surge a terrível realidade: os artistas mais consagrados são os que mais se beneficiam! São milhões e milhões jogados nas mãos de algumas dezenas de outras centenas que formaram uma panelinha e a todo momento aparecem com projetos mirabolantes no Ministério da Cultura. (Para quem quiser saber como funciona a lei, a quem ela está beneficiando, os pretextos mirabolantes para formular eventos surreais, as quantias astronômicas concedidas a empreendimentos suspeitos, quando não de total desimportância, deem uma clicada no site do Ministério da Cultura e façam uma varredura vocês mesmos. Depois me contem.)

É um tal de comemorar aniversário de carreira, de lançar DVD celebrando seja lá o quê, de produções cinematográficas das mais variadas, peças de teatro, e por aí vai.

E a lei se torna um elemento perverso, pois o ministério (que não tem responsabilidade alguma nesse sentido, pois está simplesmente cumprindo a determinação da lei) apenas aprova a isenção da verba do imposto de renda através de empresas que, uma vez optando por patrocinar o determinado empreendimento, evento ou artista, conseguem isenção fiscal. Ou seja, a verba do imposto da empresa, que o artista captou, já vai descontada direto para o autor da petição. E tem gente negando de pés juntos que isso não é dinheiro público!

O fato é que o artista de mais nome, o empreendimento de maior apelo mercadológico são mais beneficiados, pois as empresas podem ter uma isenção maior com o evento de maior visibilidade e acabam optando pelos peixes grandes.

Ou seja, ao invés de o governo usar esses impostos que as empresas deixam de pagar, e que poderiam viabilizar o showbiz em geral, ressarcindo as meias-entradas e melhorando toda a infraestrutura, fica viabilizando isenções fiscais de empreendimentos de poucos (não tão poucos assim), contudo, os mesmos de sempre.

É só conferir.

Aconteceu comigo uma história jocosa. Como a minha empresa, a Universo Paralelo, se expandiu e ganhou novos funcionários, minha mulher, que também é minha sócia na empresa, formulou uma série de eventos com artistas em início de carreira e exposições de arte de fotografia, encaminhou um pedido de patrocínio através da lei Rouanet. E achou muito natural incluir meu nome nessa lista sem ter me notificado, pois, segundo ela, sou considerado um artista alternativo, que não toca nas rádios *mainstream*, e tínhamos acabado de produzir um projeto de DVD/CD de forma independente, arcando com todos os seus custos.

Depois de um determinado período de tempo, chega às minhas mãos a aprovação do projeto para uma turnê de quase dois milhões de reais!

Eu fiquei bastante constrangido, envergonhado com a aprovação, pois nunca passou pela minha cabeça captar patrocínio pela lei Rouanet! Sabia que era crescidinho o suficiente para me excluir do rol dos beneficiários e de imediato comecei a redigir uma carta ao Ministério da Cultura agradecendo de coração a aprovação do meu nome, mas de forma alguma poderia aceitar captar aquele montante através daquele dispositivo. Eu ainda me considero um *hit maker*, que produz música popular e deveria estar tocando nas rádios, e, se não toco, problema meu, não vou ficar pedindo ajuda ao governo pra resolver meus problemas particulares. E acabei devolvendo os documentos de aprovação junto com a carta e fim de papo.

Sei que muita gente vai me chamar de otário ou coisa parecida, mas é assim que eu sou, e se todo artista mais ou menos consagrado fizesse isso poderíamos pleitear outras formas de intervenção do Estado (já que ela existe), como, por exemplo, cobrir o valor da meia-entrada para todos os eventos artísticos, pois é imoral nos tirar arbitrariamente o fruto do nosso suor.

Apenas nos deixar arrecadar aquilo que é planejado e orçado. Nem mais nem menos.

Ou arrumar os aeroportos e a sua logística para nos facilitar o transporte, principalmente do nosso equipamento, que, além de correr sérios riscos de dano, demora muito para chegar a seu destino, sem contar o transporte, que custa uma fortuna.

Agora o Ministério da Cultura vem com uma outra medida de intervenção implementando cotas para negros na cultura. É óbvio que isso é fora de propósito. E, me pondo no lugar de um artista negro, eu logo pensaria: ué, mais uma vez estão tentando me tratar como um café com leite?

Por que cargas-d'água não fazem o serviço completo e, com a grana astronômica que é arrecadada através de uma das cargas tributárias mais escorchantes do planeta, nos retribuem com serviços corretos e uma infraestrutura no mínimo decente, implementam um sistema de ensino justo e eficiente de verdade para todos?

Na educação, as pessoas são submetidas a bancadas racialistas para analisar e julgar se a criatura é ou não pertencente a um grupo étnico! E o mérito daqueles que estão se esforçando para entrar numa universidade?

E aqueles pais pobres que abdicaram de ter mais conforto para pagar a educação de seus filhos em escolas particulares, uma vez que as escolas públicas estão em estado terminal? E as greves intermináveis nas universidades?

Será que ninguém enxerga que ao tomar essas medidas não haverá a tal reparação histórica aos negros e índios, pois, na verdade, todos temos sangue negro, índio e europeu. O que acontecerá será a formação de grupos de intolerância e ódio racial como a Ku Klux Klan, por um lado, e os Black Panthers, por outro. Haverá um constrangimento tácito nas relações entre os grupos que agora serão definidos por bancadas racialistas nas universidades, incentivos à cultura e cargos do governo. Um grupo de pessoas arregimentado pelo governo irá definir se você é preto, branco, mestiço ou índio e ninguém se envergonha?

E esse constrangimento, esse estranhamento, vem acontecendo há algum tempo.

Vou contar uma história que aconteceu comigo lá pelos idos de 2003, quando fui chamado a participar de uma campanha eleitoral do PT em Fortaleza (só para lembrar, eu jamais participei de nenhum evento de cunho político que não fosse de graça, por acreditar estar cumprindo o meu papel de cidadão).

Fomos a Fortaleza (eu e meu produtor, Byra Dorneles) participar de uma série de eventos do PT para as eleições municipais na cidade. Fizemos programas de TV, fomos a comícios, eu acabei realizando uma apresentação só de violão numa praça pública para o partido, entre outras coisas. No meio desses eventos, eis que surge um grande amigo meu, bom e velho companheiro, um rapper de Brasília, muito empolgado, me convidando para fazer uma palestra, um workshop na periferia da cidade sobre como estava produzindo minha recém-lançada revista (a *Outracoisa*), para trocar umas ideias com a rapaziada, do tipo como furar o bloqueio imposto pelas rádios do *mainstream* e pelas grandes gravadoras, como vender CDs encartados em revistas para driblar os impostos contidos na venda exclusiva de CDs, e outros assuntos.

É claro que fiquei muito empolgado com a possibilidade de fazer novos contatos, descobrir novos artistas e novos empreendedores por lá. Combinamos de nos encontrar numa tarde ensolarada de meio de semana, e meu amigo rapper chega com um carro concedido pelo PT.

Eu estou todo municiado de vários números da *Outracoisa*, alguns prospectos e algumas unidades da *Lobão Manifesto*, revista-protótipo que encartava o CD *A vida é doce*, por ser o pioneiro nas bancas, o pivô da lei da numeração de CDs e o primeiro CD numerado na história.

Naquela época, estávamos ajudando a redigir uma lei que intimidasse o uso estratosférico do jabá (o jabá acabou com a diversidade musical nas rádios) com o deputado federal Fenando Ferro, do PT de Pernambuco, e havia muitas chances, assim como aconteceu com a lei da numeração, de essa nova lei antijabá ser aprovada, portanto assunto não faltaria àquela reunião na periferia de Fortaleza.

E lá fomos nós. Depois de uns quarenta minutos de viagem, chegamos ao local e logo começamos a desembarcar o material que colocaríamos numa mesa no centro do pátio de uma casa. Mas, para meu espanto, a recepção foi fria, para não dizer hostil.

Na hora, eu nem encasquetei muito com qualquer possibilidade de aquela manifestação ser algo pessoal, pois sempre fui muito bem-chegado em todas as comunidades por onde transitei e sempre fui considerado um irmão, um companheiro de fé, historicamente um elemento pertencido e muito bem-vindo.

Pois bem, adentramos a casa, nos dirigimos à mesa, nos sentamos, eu, Byra e meu amigo rapper, que logo em seguida fez uma pequena apresentação da minha pessoa, falou sobre o que eu estava empreendendo, a revista, o jabá. De repente, um cara da audiência se levanta, se encaminha em direção ao meu amigo rapper, estende a mão e, ostensivamente, começa a falar com ele como se eu e o Byra não estivéssemos presentes. De imediato, para tentar quebrar o gelo, eu peço a palavra, me apresento e estendo a mão para o cara. Ele me olha e num gesto brusco retira a mão do meu alcance, dizendo: "Escuta aqui, eu não aperto mão de branquela, tá ligado?" E olhou pro meu amigo rapper, emendando: "Qual é a tua de trazer playboy aqui pra comunidade, mano?" Olha, a partir daí, me foi subindo o sangue pelo corpo, me dando um ódio e, furibundo, dou um tapa de mão espalmada no tampo da mesa devolvendo a delicadeza: "Branquela é o caralho, rapá! Eu estou aqui para somar, com todo amor e respeito por todos vocês, que merda é essa?! É racismo, é? Então vamo todo mundo pra delegacia!"

O carinha não deu a menor pelota para meu irado e peremptório protesto, se virou de costas para a mesa e convocou a audiência, que deveria ser composta de uns noventa a cem manos, proferindo algo como "Quem é matador aí pode se levantar". Uns oitenta se levantaram devagar, todos de braços cruzados, todos esperando pela próxima palavra de ordem.

Não sei o que me deu, mas, ao invés de me intimidar com aquela manifestação explícita de repúdio e ameaça, dei um segundo tapa mais violento ainda na mesa, sussurrei para o Byra algo como "Vai reunindo as revistas que sujou..." e, com a ira dos rejeitados, comecei a proferir as expressões que fossem, ao meu entender, as mais ofensivas e contundentes possíveis, como "Escuta aqui! É guerra, né? É guerra, né? Pois vocês todos vão se foder, seus otários! Porque eu vou comer o cu da avó de vocês!". (Não sei de onde havia tirado aquela expressão de profundo mau gosto, mas devo ter achado sonora, eficaz e semanticamente dolorosa.) Ajudando a recolher rápido as revistas da mesa, me levantando aos poucos, sem tirar o olho daqueles "matadores" que já se encaminhavam em nossa direção, continuei a repetir aquela frase horrorosa, de efeito surreal: "Eu vou comer o cu da avó de vocês, seus merdas!" E numa agilidade que só a adrenalina nos concede, pulei para o lado, olhei pro Byra e pro meu amigo rapper e disse: "Sebo nas canelas, rapaziada!"

Adotamos um ritmo cadenciado, de marcha a ré, eu os encarava com o braço direito esticado, o dedo em riste, ameaçador, continuava a xingá-los aos berros. Creio que os mantive paralisados por alguns instantes devido ao meu insólito comportamento, contudo apertávamos o passo exponencialmente (sempre de marcha a ré) e os matadores, quando se deram conta, já estávamos próximos a um portão gradeado. Em um determinado momento, fizemos um giro de corpo e saímos embocetados em direção ao carro. Esse portão seria a nossa salvação, pois por uma fração de segundo que os caras não nos pegaram e nos fizeram picadinho de playboy. Eu tive tempo de empurrar violentamente o portão gradeado na cara da galera, fazendo um estrondoso ruído, e foi esse o tempo para que entrássemos no carro e implorássemos para o motorista sair dali o mais rápido possível. Parecia filme de mafioso! O motorista acelerou o motor e as rodas começaram a derrapar no terreno empoeirado do local para, logo em seguida, sairmos em desabalada fuga pelas vielas da comunidade.

Ainda deu tempo para que eu abrisse a janela do carro e mandasse mais uma vez: "Se 'fuderam'! Eu vou comer o cu da avó de vocês!"

Quando chegamos a salvo no hotel, a adrenalina baixou e meu amigo rapper estava visivelmente constrangido. Me pediu mil desculpas pelo mal-entendido, me prometeu voltar à comunidade para que a rapaziada fizesse uma autocrítica, pois o clima era realmente tenso e eles meio que se precipitaram.

E foi isso que aconteceu, no dia seguinte ele foi à comunidade, mas, por via das dúvidas, disse a ele que, se fosse preciso, daria o meu perdão via e-mail ou coisa parecida. Voltar lá, nunca mais.

É claro que possuo amigos no rap, como o meu amigo de Brasília e alguns outros mais, todavia o clima é sempre tenso.

Depois desse malparado, ainda tentei me aproximar, sempre com alguém do PT do lado, fazendo contato com os Racionais para ver se havia uma possibilidade de união de forças, pra tentar convencê-los de que tinha gente bacana, amiga e companheira, que por acaso poderiam ser brancos, mas de boa vontade. Que deveria reinar entre nós o espírito de irmandade e de combate a qualquer tipo de preconceito ou segregação. Mas, nas duas vezes que tentei me aproximar, recebi uma recepção fria e acabei desistindo de vez.

Moral da história: é muito triste perceber — apesar de toda a minha história, todo o meu amor pela cultura negra e toda a minha imersão nela, com todos os meus amigos, irmãos, colegas de bateria, minhas tias queridas que me "adotaram" na Mangueira — que, de uma hora para outra, me sinto excluído de uma cultura que é parte integrante da minha vida, da minha formação, da minha expressão. De uma hora para outra me sinto impossibilitado de transitar e conviver com tantas pessoas que amo de verdade.

É muito triste perceber um retrocesso nas relações já tão conflituosas entre os brasileiros.

Todos nós sabemos do preconceito racial por parte da tal elite branca, de como ele é perpetrado e toda a sua história. Sabemos como é violento e, ao mesmo tempo, velado, como é excludente e cínico.

E eu sempre lutei contra ele desde criança. Todo cidadão com o mínimo de esclarecimento e bom senso irá concordar que temos obrigação de formular e aplicar outras normas de conduta em nossa sociedade.

Agora, é de bom alvitre que todos nós saibamos quem é quem nessa bagunça toda. Dessa maneira, estamos atirando para qualquer lado e eliminando aliados ou criaturas inocentes. Não podemos achar que resolveremos injustiças históricas implementando outras, nem sair por aí taxando de racista qualquer um que tenha alguma objeção razoável às cotas raciais.

Podemos muito bem ter os mesmos anseios de justiça e tolerância sem necessariamente concordarmos com os meios a serem aplicados.

Por isso este capítulo começou abordando o fenômeno desagradável e arbitrário da patrulha ideológica, pois ela, antes de mais nada, impossibilita a aproximação de pessoas que podem ter opiniões diferentes a respeito das coisas, mas podem também ser aliadas em outras tantas ou, no mínimo, oponentes que mereçam respeito e admiração.

Se não, nós perdemos qualquer critério e passamos a agir na base da paixão futebolística: ou você é do meu time ou você é um filho da puta.

E é exatamente isso que se passa em nossa atual conjuntura. As pessoas estão sendo movidas, antes de mais nada, por ódios apaixonados, por sentimentos reativos de vingança. O governo tem ajudado bastante a causar mais distanciamento em nossa sociedade pregando ódio às elites, ao lucro, ao patrão, ao branco, ao heterossexual, ao religioso em geral. Temos obrigação de perceber as pessoas de boa vontade, honestas e companheiras que existem em todas as classes sociais. E que também estão lutando por um país mais civilizado, mais igualitário, com educação de alto nível para todos, com saúde de alto nível para todos.

Para terminar, eu gostaria de relembrar que fiz campanha para o PT desde 1989. Voltei a fazer em 2002 e 2004. Existe gente que acha contraditório eu ter sido indexado por 11 anos pela Globo por aquele clássico episódio do *Faustão*, em 1989 (quem quiser ver, acesse o YouTube...), e de repente, segundo essas pessoas, estou a vociferar contra o PT como se simplesmente eu tivesse surtado, ou pior: como se eu fosse um comprado pela "direita reacionária". Lamentável.

Pois bem, comecei a me assustar com o PT (e muito tarde) desde que o Lula chamou o Gil para o Ministério da Cultura, porque ele sabia muito bem ser justo o Gil um dos principais aliados das grandes gravadoras (falei sobre o assunto com o Lula várias vezes na época da briga pela numeração de CDs). Ele colocou a raposa no galinheiro e, de fato, para a música independente e para quem não era da sua turma foi um desastre.

Fui me desiludindo com o PT no transcorrer de sua administração aloprada e incompetente, e quando chegamos ao episódio do mensalão eu cansei de vez, pois até então estava sofrendo calado, sem emitir qualquer opinião contrária.

Desde então, minha repulsa e contrariedade ao partido são explícitas e amplamente difundidas. Portanto, para os que tiverem disponibilidade de tempo para me odiar, pelo menos que me odeiem com algum embasamento.

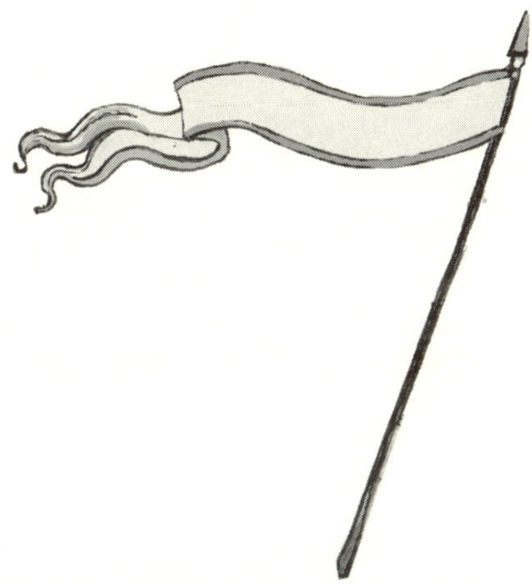

CAPÍTULO 6

VIAGEM AO CORAÇÃO DO BRASIL

Há certas ocasiões em que somos compelidos a acreditar no destino arquitetando aventuras insólitas para nossas vidas, apesar de sermos nós mesmos os patrocinadores desse destino. Foi exatamente o que aconteceu quando aceitei, sem pestanejar, de bate-pronto, participar de um prestigiado programa de jornalismo investigativo numa TV aberta, como repórter.

Eu explico: no meio daquela confusão do festival Lollapalooza, recebi um chamado telefônico da produção do dito programa me fazendo um convite formal para que eu integrasse a equipe. Confesso a vocês estar um tanto cansado de fazer televisão, iniciando as minhas novas composições, fazendo *riffs* na guitarra, temas na viola de dez cordas, entabulando levadas na bateria, enfim, estava em pleno processo de concepção do que será meu próximo álbum, portanto estaria fora de cogitação aceitar qualquer coisa que me desviasse desse objetivo.

Todavia, sob o impacto da explanação infame do simpático empresário responsável pela pauta da efeméride musical já citada, me veio à cabeça que, aceitando o convite do programa, eu, em algum momento, poderia sugerir uma pauta investigativa sobre como a cena do rock funciona aqui no Brasil, como os grandes festivais tratam os artistas nacionais e internacionais, como a subserviência patológica do "astro" de rock brasileiro o leva a aceitar qualquer proposta, como o empresário nacional se utiliza disso e o grande abismo existente nas relações entre artistas locais e de outras partes do globo, em especial quando se tratava de um festival de características alternativas, como o Lollapalooza.

Com essa ideia ingênua e delirante em mente, no decorrer de uma semana já fazia parte da equipe do programa.

Isso foi em meados de novembro, mas eu só começaria a trabalhar mesmo dali a três meses, numa megaempreitada cujos jovens produtores do programa estavam customizando, justo para minha retumbante estreia: uma viagem de uma semana a um garimpo recém-legalizado, no coração da floresta amazônica, com direito a jornada de três dias de barco, mais meio dia de caminhonete, muito calor, tempestades tropicais, mosquitos e o escambau. Fiquei animadíssimo!

Embarcaríamos para Manaus em meados de fevereiro, e até lá tive tempo de adquirir meu equipamento de selva, tomar as devidas vacinas e dar tratos à minha imaginação do que estaria por vir naquela aventura, pois, de uma forma ou de outra, iria fazer uma viagem não como músico, mas em condições completamente diversas das que estou acostumado.

INÍCIO DA JORNADA

Estou em Manaus, num hotel cinco estrelas, absorvendo os últimos momentos de conforto que a civilização poderia me proporcionar. Saboreio a temperatura amena do ar-condicionado, cercado por uma dúzia de travesseiros, assisto a um documentário no History Channel depois de um belo jantar em um restaurante de comidas típicas do norte do Brasil, que eu e o Diego, o *cameraman*, tivemos o prazer de desfrutar.

No dia seguinte, parto com uma equipe de mais três pessoas (câmera: Diego, diretor: Rondon, e produtor local: Denilson) para a tão imaginada jornada ao coração da Amazônia, rumo ao garimpo do Eldorado do Juma, localizado às margens do rio Juma, entre os municípios de Novo Aripuanã e Apuí, o primeiro garimpo legalizado no Brasil. Nosso trajeto seria feito por barco e essa viagem de Manaus até Novo Aripuanã duraria umas 32 horas (2.319km).

Iniciamos as filmagens na entrada do magnífico Teatro Municipal de Manaus, fazendo algumas indagações sobre o paradeiro do garimpo para populares, transeuntes e turistas sob um sol de rachar. O ar é pesado, úmido, sufocante, e lá estava eu, todo aparatado para aquela aventura equatorial, de bermudas, chapéu, repelente de mosquito, protetor solar, mochila, sapatos especiais e meu violão com o corpo de fibra de carbono, instrumento feito com um material virtualmente indestrutível e imune a qualquer temperatura.

Logo de cara, recebo o roteiro e constato não se tratar simplesmente de um programa de jornalismo investigativo: era uma espécie de reality show também!

Começo a lê-lo e verifico ser algo além de uma simples reportagem: deveria atuar! E o roteiro sugeria a aventura de um músico falido (eu), lançado no meio da mata em desesperada busca por ouro. O detalhe é que essa "piada" já havia sido sugerida pela produção em São Paulo e eu já não tinha achado muita graça naquele script. Houve uma reunião e, depois de algum tempo e um certo esforço, confessei aos jovens executivos do programa não me sentir muito à vontade com aquele tipo de humor, que aceitara entrar no programa para fazer reportagens sérias, sempre participando da feitura das pautas, e não gostaria de bancar o metido a engraçadinho, principalmente quando o personagem em questão era eu mesmo.

Todavia, lá estava o roteiro intacto, como se não houvesse acontecido nada, e comecei a desconfiar que o fato de ter aceitado o convite para fazer aquele programa naquelas condições não tinha sido exatamente um bom negócio.

Não preciso comentar sobre minha total perplexidade quando, ainda aturdido, iniciei a minha vã tentativa de convencer o Rondon a reformular imediatamente aquele texto, pois não era aquilo o acordado etc. e tal.

O grande problema, segundo Rondon, era o tal programa ser um *franchising* e haver regras rígidas a seguir, além de os jovens executivos serem bastante rígidos quanto à fidelidade da pauta e, por conseguinte, ele lamentava muito, mas seria forçado a realizar o roteiro exatamente como estava no papel.

Eu ainda iria ter brigas homéricas com o Rondon, muito embora, desde o primeiro instante que o conheci, tivesse sentido imensa simpatia por ele (e ele, certamente, por mim). No transcurso de toda a viagem, estaríamos condenados a atritos por motivos dos mais diversos, com impropérios dos mais furibundos de ambos os lados. Ele, resoluto em me fazer cumprir o roteiro, e eu, tentando de tudo e por tudo escapar daquela armadilha.

Estava em ampla desvantagem, pois eram três contra um no meio do nada. Apesar de tudo isso, ou talvez por tudo isso, nos tornaríamos grandes amigos, e acabou prevalecendo a camaradagem entre nós quatro.

Logo após fazer a primeira cabeça do programa, o Denilson sugere almoçarmos num boteco tradicional de Manaus, o Galo Carijó, para logo em seguida prosseguirmos o trabalho. (Cabeça é o termo designado para a introdução de cada parte da matéria, e essas cabeças seriam feitas e refeitas inúmeras vezes, até a exaustão, quando acabou virando uma piada interna, uma vinheta entre nós, tipo "se não se comportar direitinho a gente vai fazer uma cabeça, hein?")

Pensei que ainda poderia desfrutar de mais alguns momentos de uma temperatura menos abrasiva enquanto estivéssemos almoçando, mas não era aquele o caso: apesar de haver uma série de restaurantes refrigerados, o Rondon achou de bom alvitre abandonarmos os velhos hábitos e nos aclimatarmos de vez à nossa nova realidade.

Perambulamos por dezenas de ruas de Manaus fazendo algumas cenas *fakes* em que eu perguntava onde poderia encontrar ouro, tudo, é claro, filmado com todo aquele aparato, de mochila nas costas, violão pendurado, como se estivesse em plena selva. Me sentia um palhaço, suando em bicas e exausto com toda aquela tralha pesada e desnecessária no meio do calor sufocante. Tudo era feito no sentido de me provocar a maior fadiga possível, no intento de extrair "maior dramaticidade" à história.

Nossa última e mais fundamental providência na capital manauara foi a compra da minha rede numa casa especializada, onde fui tratado com toda a atenção pelo simpático proprietário, que acabou me oferecendo a melhor rede de sua loja, rede salvadora, companheira de toda aquela viagem (e até os dias de hoje). Em seguida, nosso imediato embarque no cais de Manaus.

E lá vou eu, debaixo de uma chuva de proporções amazônicas, de mochila nas costas, chapéu, violão e um saco enorme com a rede dentro, parecendo mais um Indiana Jones retirante, com um sem-número de curiosos a observar aquela improvável criatura, fazendo inúmeras "cabeças" e alguns "*fakes*", simulando perguntas de forma um tanto afetada a qualquer transeunte que passasse naquela via-crúcis encharcada, até chegarmos ao cais.

A PARTIDA DE MANAUS

A barcaça *Almirante Alfredo Zanys* estava ancorada na borda do cais, com uma visível escada de acesso, mas a equipe achou mais interessante pegar uma voadeira, dar uma volta em torno da barcaça e embarcar de maneira mais... retumbante.

Depois de uma escalada desajeitada pelas grades da lateral da popa, no meio daquele toró dos infernos, embarco com toda aquela tralha (fora o equipamento de filmagem da equipe) e sou notificado de um fato que não me deixou nem um pouco empolgado: somente eu iria habitar a terceira classe, ou seja, dormiria ao relento, na rede. O restante da equipe viajaria de camarote na primeira classe, com direito a cama e ar-condicionado (muito embora eu comprovasse posteriormente não serem as suas instalações lá muito superiores às minhas).

O calor e a umidade são intensos, o barco, todo pintado de branco, tem uns trinta metros de comprimento, com três andares: o porão onde ia a carga (muitos aparelhos eletrônicos, como televisores, antenas parabólicas, vídeos, computadores, e víveres) era também local de descanso de tripulantes. No segundo andar, onde eu me alojaria, ia a rapaziada. Havia mais de uma centena de pessoas empoleiradas em suas redes naquele convés, só se conseguia andar com alguma desenvoltura nos corredores, e olhe lá.

Fiquei perturbado com a visão do amontoamento de redes, o burburinho, as malas e pertences pessoais espalhados pelo chão, bichos, galinhas, cachorros e até um gatinho recém-nascido, de uma argentina hiponga que viajava para Porto Velho com o propósito de experimentar o Santo Daime. No terceiro andar ficava o deque enorme, que nos permitia uma vista esplêndida de 360 graus, com uma seção de cabines na proa, onde ficava a sala de comando, a lanchonete, cadeiras, mesinhas de ferro e uma imensa caixa de som plantada na frente do balcão que não parava de tocar um tecnobrega ensurdecedor.

Estávamos no final da tarde, a chuva tinha dado uma trégua e o cenário era deslumbrante, bíblico! O céu iluminado pelos últimos raios de sol varando as nuvens carregadas, o rio Negro a se perder de vista, as embarcações ao redor e nós no deque, chupando um picolé cor-de-rosa sabor não-sei-o-quê. Após mais algumas discussões, outras tantas "cabeças" cobrindo as boas-vindas e as explicações técnicas do capitão, o registro de meu primeiro banho no banheiro comunitário, mínimo, fétido e cheio de baratas (acabei tomando dois, pois o primeiro não tinha sido filmado), e o providencial encontro com Isvar, um ex-garimpeiro e aventureiro que seria meu bom companheiro até chegarmos em Novo Aripuanã.

Isvar, um caboclo safo, muito prestativo, cheio de histórias, me ajudou a montar a rede, me ensinando como atar o nó numa coluna de madeira do convés. Coloquei minhas tralhas do lado da rede, firmando o meu apertado território, quando percebi de cara que meu chapéu havia sumido. Pensei: bom sinal não é... Indiana Jones não perde chapéu...

Como era de se esperar, me aboletei num dos piores lugares do navio, pois, infelizmente, eu fora o último passageiro a chegar e acabei sendo contemplado com um espaço em cima do motor. Além do calor e do barulho insuportáveis, a trepidação me dava a nítida sensação de estar dentro de um liquidificador. Ainda por cima, estava no meio do corredor, onde todas as pessoas, ao passar, roçavam e tropeçavam na minha rede, me causando uma profunda irritação, isso sem falar do inesperado frio à noite, do vento da chuva e da água do rio na maré alta, que entrariam pelas frestas das grades do convés durante as madrugadas.

Quando a rapaziada da equipe se recolhe em seus camarotes, dá um desamparo e um alívio ao me sentir só naquela imensidão. De repente, me flagro estendido no chão de madeira da proa da embarcação, olhando o céu escuro e denso, sem estrelas, a ouvir aquele tecnobrega estridente, quando percebo um alvoroço de vozes vindas da lanchonete, com gritos e frases do tipo: "Parem com essa música dos infernos, em nome de Jesus! Isso é coisa de Satanás! Parem essa música do demônio!" É um grupo de uma dúzia de evangélicos cercando o sujeito da lanchonete, com suas Bíblias em riste, obrigando-o a parar de imediato aquela manifestação profana.

Nunca imaginei que em algum dia da minha vida conseguiria ficar tão feliz com qualquer ato de repressão religiosa e desfrutar de um alívio redentor nos meus ouvidos, permitindo à minha alma ignorar o significado sombrio daquela manifestação intransigente dos crentes.

Todavia, aquele silêncio imposto, infelizmente, seria momentâneo. Em poucos instantes, como uma espécie de castigo dos céus, retornou o barulho ensurdecedor, só que a partir de então, e até o fechamento da lanchonete (que abria às oito da manhã e fechava às 22), ouviríamos música tecnobrega, mas... evangélica!... acompanhada pela cantoria fervorosa dos fiéis.

Como deveriam ser umas oito da noite, teria pela frente umas duas horas de som rebolativo/religioso na caixa, no volume 11, com direito a um karaokê ensandecido dos crentes, numa manifestação de sua fé cheia de suingue, furiosa, impositiva e barulhenta.

Permaneço no deque até não haver mais ninguém por perto, quando a temperatura começa a baixar bruscamente e, pela primeira vez desde que acordei no já longínquo hotel cinco estrelas, tenho um momento de paz, solidão e silêncio.

Até retornarmos a Manaus, não haveria mais contato com a civilização: sem celular, sem internet, a equipe aboletada em seus camarotes e eu no meio daquela imensidão.

Fico naquele estado de torpor filosófico até o momento em que começa a chover forte, a fazer muito frio e, sendo assim, decido enfrentar o meu destino lá embaixo, em cima do trepidante e ruidoso motor, meu novo cafofo.

Quando estou arrumando meus pertences embaixo da rede, surge, em meio àquela iluminação precária, o simpático rosto de uma moça pendurado na rede vizinha que, num radiante sorriso, me dá boas-vindas: "Bem-vindo, Lobão! Não se assuste, não, que aqui todo mundo se ajuda, viu? Muito prazer, meu nome é Ivana e eu estou indo pra Porto Velho. Vai pra lá também?"

A sua voz e sua solicitude renovaram minhas forças e impediram que eu caísse em depressão. "Olha, se quiser carregar o iPad ou o celular, tem uma tomada logo aí, em cima da sua rede, viu?" Em seguida, começou a contar sua história: estava internada no hospital do câncer de Barretos, São Paulo, e, por falta de dinheiro, teve que voltar para Santarém, onde morava sua família.

Para renovar seu direito de internação através do SUS, Ivana pegou aquele barco em Santarém (já estava viajando havia mais de três dias até chegar a Manaus) para ir até Porto Velho (mais cinco dias), onde conseguiria o passe do SUS para então poder fazer o mesmo trajeto de volta a Santarém, pegar um avião para São Paulo, um ônibus para Barretos e retornar ao hospital, e aí, sim, continuar o tratamento. Tinha uma perna amputada bem acima do joelho em virtude de um câncer e, segundo ela, apesar de sua alegria, não lhe restava muito tempo. Era comovente perceber o seu carinho pelo pessoal do hospital, pelos médicos, enfermeiras. Me pediu para que a visitasse (em tempo) em Barretos e, na medida do possível, que realizasse um programa especial sobre a bela obra do hospital.

Ivana viajava com uma irmã e um menino com sua rede colada à minha e transformou-se num porto seguro no meio daquela confusão, precariedade e barulho.

Toda vez que a chamava, a qualquer hora do dia ou da noite, Ivana vinha em meu auxílio. Conversávamos, cada um com a cabeça de fora da rede, como se elas estivessem soltas no ar, como o gato de Alice no País das Maravilhas... Sempre aos berros, em virtude do barulho implacável do motor. Ela me desconcertava tanto com seu bom humor desafiando a severidade de sua doença, fazendo troça de seu estado de saúde, me deixando bastante envergonhado pelas razões frívolas das minhas aflições e dos meus mesquinhos infortúnios.

No meio da madrugada, aparece a equipe para filmar uma "cabeça" noturna para o programa, eternizando a grandeza da minha fadiga, do meu desconforto, tudo de maneira tão bem-produzida e tão repetida que era inevitável me sentir um tremendo canastrão. Além daquelas intervenções, o Diego sempre me dava uma minicâmera para me filmar durante as noites.

Pela manhã, lá pela hora do café, a fila para o rango cobria toda a extensão do convés, e acordei levando um monte de cutucadas de pernas, joelhos e canelas. Como sou um poço de timidez, simulei procrastinar minha soneca reforçando nervosamente as bordas da rede (estava a centímetros do chão) com os braços em cruz, acreditando me refugiar naquele invólucro, como uma lesma na concha pronta para ser esmagada por uma botina.

Havia uma outra fila para o fétido banheiro, das mesmas proporções que a fila do café, cada um com sua toalha, escova e pasta de dente na mão, e percebi que não adiantaria fugir daquela realidade: eu teria que me levantar e enfrentar a situação.

Após os registros da minha já enturmadíssima pessoa nas duas respectivas filas, subimos para o deque, a fim de pegar uma brisa benfazeja, um ar fresco e uma temperatura agradável enquanto se podia, pois, a partir das nove horas, o calor voltaria inclemente e o deque ficaria inabitável.

Como estávamos praticamente sozinhos, decidi levar um som com meu violão, me sentando no banco lateral do deque e, sem muitas delongas, comecei a tocar um teminha hidrofolk em homenagem àquela paisagem monumental das águas do rio Madeira desfilando diante dos nossos olhos, quando, para nossa surpresa, eis que ouço uma voz ao meu lado, a uns dois metros de distância, de um rapaz sentado no mesmo banco, numa atitude de ostensiva repreensão à minha humilde e despretensiosa performance, em estado de transe a entoar fervorosos cânticos de louvor a Jesus, num volume bem superior ao meu, como se enxotasse Satanás!

Sim! Era um rapaz de uns 19, 20 anos, evangélico e, pelo visto, ofendidíssimo com o som que eu estava produzindo, a bradar com a convicção inviolável dos eleitos, a plenos pulmões, hinos religiosos com o firme intuito de parar a minha execução, coisas do tipo "Jesus vencerá em sua glória e esplendor, xô, Satanás!". Tudo de maneira tão sutil que não pude evitar me sentir um Exu de beira de rio sendo exorcizado por um fanático intolerante. Acabei botando a viola no saco...

Filmamos uma "cabeça" registrando a insólita intervenção, aquela cena inacreditável, glauberiana e, se não fosse algo verdadeiramente assustador em sua essência, seria um incidente hilariante.

Começava a perceber um clima de escancarada patrulha religiosa por todo lugar que passávamos (em Manaus, um grupo de evangélicos na praça do teatro me deu uma encarada feia e começou a rezar alto, fazendo o sinal da cruz), e o barco não seria exceção, sendo a minha vez de levar uma carteirada daquele ser enviado sei lá de quem...

Em seguida, fiquei matutando o porquê daquele frenesi intenso em relação à minha pessoa e, num estalo, matei a charada! Me lembrei que eu era uma das figuras mais exibidas (em termos televisivos, é claro) nos horários religiosos de uma televisão evangélica de espectro nacional como a encarnação do demônio! Não deixava de me sentir um tanto importante com tanta precaução a meu respeito.

Na verdade, eu e a Rita Lee, sempre que havia um assunto relacionado a delinquência, roquenrou, drogas e mau comportamento de qualquer natureza, lá estávamos na telinha evangélica marcando presença como exemplos a não serem seguidos.

Fiquei alguns instantes meditabundo lá na popa, ao lado de uma enorme bandeira do Brasil fincada a tremular, olhando para o horizonte varonil daquelas matas, e concluí meio assustado: "Rapaz, a Mensagem é a Mídia, Rita Lee é o Diabo e eu sou o Terror dessas criaturas!"

Antes do almoço, Isvar, com sua extensa experiência na selva, me contou os perigos a caminho daquela aventura que só estava em seu início, me alertando sobre a malária, os jacarés-açus, as piranhas, as onças-pintadas, o corrupião, os naufrágios no rio Madeira, a drástica diminuição da fofoca no garimpo do Juma (fofoca é a gíria dos garimpeiros para designar um fluxo grande de ouro no garimpo). "Olha, pelo que eu sei, você não vai mais encontrar ouro por lá, não. A fofoca acabou já faz tempo, mais fácil você dar de cara com uns jacarés-açus na margem do rio ou uma onça-pintada te espreitando na mata... E toma cuidado com piranha (as do rio), que tem muita, e ainda por cima periga de você voltar com malária, rapaz!"

Ele estava adorando ver meu espanto.

Já havíamos passado pelo rio Negro, descido pelo Amazonas para o leste e dobrado o cotovelo fluvial na cidade de

Itacoatiara, voltando para oeste, pelo rio Madeira. O Diego e o Denilson pediram ao capitão permissão para filmar a barca dentro de uma voadeira e passaram boa parte da tarde rodeando o *Alfredo Zanys*. Eu e Rondon assistimos a tudo do deque, na lanchonete, tomando um guaraná. Estava só na base da barra de cereal e não conseguia de forma alguma comer o rango do almoço. Por isso mesmo, me sentia um fefeca, um fresco, mimado.

Por sinal, tentamos fazer uma "cabeça" na sala do almoço comigo, sentado com os outros comensais, tipo Jesus na última ceia (estava aboletado bem no centro de uma larga mesa). Quando chega o macarrão, câmera rodando, eu, de microfone de lapela, começo a falar o texto meio engrolado e, ao me servir, meu estômago dá uma revirada, tenho vontade de vomitar. Vexame. Abortada a "cabeça", saio do recinto com cara de tacho.

Passamos por algumas cidades ribeirinhas, gente nas vilas saindo para pescar, fiéis em bando indo rezar a caminho das igrejas, ao sol equatorial... Uma paisagem luxuriante. Naquela região dá para se ver as duas margens do rio. Na água barrenta, centenas de troncos enormes flutuam ameaçadoramente correnteza abaixo, indo ao encontro do barco que sobe rio acima... Se um daqueles tarugos pegasse a proa, poderia facilmente furá-la, provocando um enorme rombo, e acontecer um sério acidente. E o Isvar a desfilar histórias de naufrágio.

No horizonte, muitas nuvens escuras despejando uma cortina de chuva grossa fundindo-se com a fumaça que brotava do coração da floresta... Fogo e água. Muito calor ao entardecer. O sol mergulha no rio, a chuva começa a riscar o céu a perseguir o barco, nos pegando em cheio.

Não havia muita coisa para fazer, o tempo se arrastava, só nos restavam as "cabeças", alguns *takes* e papos ocasionais.

Quando ficava sozinho, entrava facilmente naquele estado de marasmo psicodélico, promovido pelo excesso de calor e pelo tédio, me lembrando de aventuras pretéritas nos inúmeros rincões desse Brasil...

Me veio à cabeça um acústico em Barra do Garças, cidade dos discos voadores, onde fiz um show dentro de uma reserva indígena, responsável por contatos com ETs locais e pela credibilidade de todos os avistamentos na região, misturando pajelança com ficção científica. Lembrei da nossa intrépida e improvisada saída da reserva, num fusquinha azul, o piloto com a mão quebrada manuseando o câmbio, acelerando enlouquecido a pequena viatura, até a hora em que nos aparece, no final de uma curva, uma boiada sagarânica, obrigando-o a pisar bruscamente no freio, parando, providencialmente, em cima de dezenas de zebus imóveis, com aqueles olhares contemplativos, nos deixando cercados por um monte de vacas que botavam seus carões curiosos dentro da janela, no meio daquela imensidão de savana empoeirada. Isso quando já tínhamos cruzado o sul de Mato Grosso, em pleno planalto goiano, na tentativa desesperada de pegar o último voo para casa naquele dia.

Ao chegar ao aeroporto, sabendo que o avião já estava com os motores ligados, um desespero tomou conta de mim, invadi a pista numa correria destrambelhada e me aboletei esbaforido na frente da aeronave, como fez aquele chinês na frente de um tanque, na praça da Paz Celestial, implorando para que o comandante me deixasse entrar de qualquer maneira. O comandante, comovido com meu desespero e minha determinação, abriu a porta, ordenou que eu subisse imediatamente, me deu um reservado esporro indicando um assento e prosseguiu a decolagem...

Me veio também à lembrança as castanheiras gigantes despejando castanhas fatais, que faziam um barulhão surdo ao cair em terra, nas imediações de Santarém, quando eu e meu amigo do peito, o produtor e poeta Byra Dorneles, nos embrenhamos na floresta com um cara que fez questão de nos levar até uma ilha paradisíaca no meio do rio Tapajós, a apenas duas horas da cidade. Isso depois de termos visitado um terraço de uma lanchonete na beira do rio, para ver o boto-cor-de-rosa, sendo que a grande atração mesmo foi um urubu pousado, hierático como uma estátua, a meio metro de nossa mesa. Desconfiei que se tratava de um animal concursado pelo Ministério do Turismo, diante de sua civilidade e profissionalismo no trato com os turistas.

A ilha, fora a frondosa paisagem e o ruído das castanhas despencando de árvores de mais de quarenta metros no meio da mata, me fazia lembrar de vez em quando o piscinão de Ramos, com aquelas centenas de carros de portas traseiras escancaradas, tocando tecnobrega a todo o volume, churrasco de peixe, farofa e cerveja na prainha. Cada carro tocando uma coisa diferente do outro... A Amazônia e seus contrastes.

E por falar em piscinão... Passava uma torrente de imagens na minha cabeça, como um trailer de filme B de terror, os shows de playback na Baixada Fluminense, aquele Ford Galaxy preto, caindo aos pedaços, em plena contramão na Rio-Petrópolis, às duas da matina, sem farol, a 120 por hora, para chegarmos mais rapidamente ao nosso destino, depois de seis shows realizados numa noite, num clube cujo palco era o trampolim de uma piscina abandonada e vazia... E a pedrada que me nocauteou em Conselheiro Lafaiete, num show dentro de uma exposição agropecuária, antes mesmo que eu sequer pudesse dar um "boa tarde, rapaziada". Fiquei uns seis meses com o topo da cabeça completamente dormente...

Entrava em devaneios relembrando momentos venturosos nos puteiros de beira de estrada que nossa banda tanto tinha carinho em animar, em plena e moribunda Transamazônica. Nossa turma, depois de dias perdida na selva, conseguindo uma carona na boleia de um caminhão que, providencialmente, nos recolocava na civilização.

Me recordo, melancólico, de Porto Velho, na época da eleição de 1989, "patrocinado" por simpáticos deputados do estado, cheirando epadu sabor querosene, de graça, num palacete cheio de belas garotas de programa, tudo por conta dos nossos parlamentares anfitriões (dinheiro público, na certa), numa festa que duraria uma semana inteira...

Inevitável cair em nostálgica divagação e reviver meu mergulho semissuicida nas águas turbulentas de fim de tarde do rio Amazonas, num píer em ruínas, em Macapá, testemunhando um bando de moleques alegres a mergulhar na margem, todos caindo de bicicleta na água, achando aquilo uma barbada, e eu, ingênuo, no afã de imitá-los, quase sendo tragado pela correnteza pororóquica do magnífico rio, pois resolvi mergulhar justo na virada da maré... Atualmente, construíram um belo restaurante na ponta do tal píer, onde já comi algumas vezes, grelhado, um delicioso "filhote", que é um peixe amazônico.

E quando quase fui linchado em Garanhuns? Que emoção! É delicioso e surreal saborear um *fondue* na serra pernambucana, em plena cidade da pistolagem. Em Rio Branco, a Polícia Federal em nosso encalço, mais um show com energia elétrica cortada, nossa equipe sendo apedrejada com o ônibus batendo em retirada. Em Boa Vista, apagão toda noite... Apagão, não: racionamento de energia.

A pitoresca sensação de chegar de busum em Imperatriz e poder assistir a um duelo, como num bangue-bangue glauberiano... Ninguém acertou ninguém, com direito a *happy end*! Em seguida, meus pensamentos migravam em direção ao sul, em plena excursão na serra gaúcha, quando a filha de um delegado, nossa fã, fugiu de casa dentro do nosso ônibus e teve uma overdose de cocaína na porta do hotel. Nós a abandonamos delicadamente, depois de constatar que havia sobrevivido ao ataque, para uma fuga cinematográfica pelas curvas daquela serra maravilhosa...

Em Maceió, recordo a multidão iracunda porque a polícia desligou, como de costume, a energia elétrica em toda a cidade em minha homenagem, destruindo o equipamento e jogando areia no que restou. As blitzes em qualquer aeroporto que parávamos, em todas as estradas, todo o equipamento revirado, anos a fio a conviver com aquele estranho protocolo... Quantas recordações!

Aquilo, sim, era puro roquenrou tupiniquim. Aquilo, sim, era o Brasil que aprendi a amar, mesmo sendo o nosso Brasil um lugar onde a própria história é de mentirinha, suas conquistas são de mentirinha, seus heróis são de mentirinha, suas revoluções são de mentirinha... Onde só o autoengano coletivo é de verdade.

Cai a noite e o rio se estreita mais ainda. Depois do jantar, a maioria dos passageiros vai para o deque assistir a novela da Globo, tão onipresente quanto as Assembleias de Deus plantadas por todo o caminho. A imagem é cheia de fantasmas, fato que me ajuda a abstrair mais os meus pensamentos.

Quando termina a novela, o cara da lanchonete liga o tecnobrega a todo o vapor e dá para se ouvir o eco surdo da batida na floresta a nossa volta, encoberta pelo breu. Não tinha jeito: ou você encarava o barulho do motor ou a zoeira daquela caixa de som enorme.

Tudo se acalma depois da meia-noite e o Rondon descobre um passageiro pitoresco com uma história interessante do outro lado do convés. Alcançamos o lado oposto, no meio daquele monte de redes, num escuro absoluto, quando aparece o nosso entrevistado. Chama-se Mário, um senhor que ficou cego e ganha a vida vendendo canetas nas ruas de Manaus. Seu Mário também exibia, como todas as pessoas que encontrávamos, uma alegria improvável e exuberante quando começamos a nossa curiosa conversa. Ele nos explica que sua cegueira era de família, que 90% dos homens ficavam cegos com a idade, porém, exceto por aquele detalhe, era uma pessoa muito vigorosa etc. e tal, quando, de súbito, irrompe das trevas uma voz fantasmagórica e familiar no meio daquele murundu de redes, a bradar palavras de cura, com os braços estendidos e mãos espalmadas em direção ao simpático ceguinho: "Abra o olho e enxergue em nome de Jesus!"

Das profundezas de sua rede, iluminado pelo flash do Diego, eis que surge o semblante transfigurado daquele mesmo sujeito que, no dia anterior, cantava hinos religiosos e preventivos no deque em minha intenção, quando eu tentava levar um sonzinho no meu violão.

Nós não acreditamos na cena! O jovem beato nos encara com os olhos arregalados esperando por uma ação milagrosa que, infelizmente, teimava em não se concretizar. Seu Mário, sem perder o humor, se dirige ao aspirante a Antônio Conselheiro dizendo: "Dá licença um pouquinho?" E engata uma quinta... "Aí, o meu sobrinho foi tirar de madrugada o leite e a vaca ficou preta e ficou tudo na sombra... Ele não achou mais a vaca... he, he, he! Ficou ceguinho!" O minimessias de araque desapareceu como por encanto dentro da sua rede e não mais foi visto em todo o transcorrer da viagem.

Depois de uma pequena dose de eternidade, o Isvar me avisa que chegaremos em Novo Aripuanã pela madrugada, e eu não sei se fico alegre ou mais desamparado.

O barco atraca lá pelas três e meia da manhã. Arrumo minhas coisas, violão no *bag*, mochila nas costas. Isvar e eu trocamos nossos telefones, jurando nos falar assim que possível, as redes ao meu redor balançam ritmadamente, com a rapaziada toda dentro delas nos dando o último adeus. Fico de coração apertado ao abraçar a Ivana, que, com um sorriso invencível, me dá um beijo e um bilhetinho que carrego comigo até hoje: "Eu não tenho religião, eu tenho um Deus lindo que cuida de mim e me faz essa pessoa feliz. Ivana Nascimento."

CHEGADA NA CIDADE-FANTASMA

Ao pisar em terra firme, sinto o bafo quente no ar, mesmo no meio da madrugada, e logo, a alguns metros do ancoradouro, me deparo com uma estupenda escadaria íngreme de uns cem degraus, que era o único acesso à cidade. Subimos com toda a nossa tralha enquanto o Rondon me explica que não há um local definido para ficar, e eu deveria sair pelas ruas vazias em busca de pousada.

Depois de perambular em desassossego, encontro um cidadão que me indica um hotelzinho a uns quinhentos metros dali. Chego à portaria do hotel, um homem atende e me leva até os meus aposentos. Abro a porta e dou de cara com um baratão andando tranquilo pelo chão. Um forte cheiro de urina dá ao cômodo um clima de banheiro de estádio de futebol, mas não fazia mal... o quarto tem um ar-condicionado! Corro e ligo o aparelho no máximo e me encosto nele sorvendo cada lufada de ar fresco. Estou em estado de graça com aquela temperatura magnífica, quando o pior acontece: um apagão (ou um blecaute, como assim sugere nossa governanta máxima). Breu total, ligo o iPad para poder enxergar alguma coisa e tento, do jeito que posso, me acomodar na cama. Rezo para ter bateria o suficiente até o amanhecer.

O cansaço me vence e acabo tirando um cochilo.

Acordo com a luz matinal vindo direto nos meus olhos.

Lá pelas sete da manhã, o pessoal aparece e vamos todos tomar um delicioso café da manhã no hotel. Não comia nada de mais substancioso desde o Galo Carijó, só guaraná e barra de cereais. Estamos nos preparando para partir quando o Rondon me adverte que não há nenhuma condução programada pela produção para seguirmos viagem, e dependeríamos da minha iniciativa para conseguir sair dali.

Depois de perambular naquele sol de nove da manhã em busca de transporte, me deparo com uma Rural Willys que num passado distante deveria ter sido pintada de verde, toda suja de lama, com uma caçamba carregada de um galão de plástico de mil litros de óleo diesel, além de outras tantas tralhas.

Era esse o nosso transporte! Sem cinto de segurança e ar-condicionado, suspensão claudicante, os bancos forrados por uma espécie de tapeçaria vermelha de lã, que só turbinava o calor...

Os rapazes da equipe viajariam atrás feito sardinhas (eles não podiam aparecer na reportagem) e eu na frente, de copiloto, ao lado do nosso intrépido piloto, o Ailton. O Denilson "escolheu" viajar na caçamba, em cima do enorme galão de diesel, e passou todo o percurso dependurado, enfrentando heroicamente o sol de rachar e a chuva torrencial.

Depois de muita briga e reclamações indignadas da minha parte, seguimos viagem lá pelas nove e meia da manhã com aquele sol de rachar o bico. Depois de uns 15 minutos, o Ailton para e dá carona para mais dois passageiros que magicamente conseguiram se empoleirar, a fazer companhia ao Denilson.

Começa a chover forte e a Rural adentra a mata fechada. O Ailton, um exímio piloto, faz o percurso como quem dirige num Rali Paris-Dakar. Os galhos entram chicoteando pela janela, buracos enormes fazem a caminhonete pular feito pipoca, sempre, naturalmente, numa velocidade estonteante.

Percebo que estamos nos infiltrando no meio do nada, a quilômetros de distância de qualquer vivalma, posto de gasolina, lanchonete, poste de luz, só mata fechada, mata queimada, pântanos, pontes de troncos de madeira prestes a desabar. Se não fosse o cenário dantesco do abandono e das terras devastadas pelo fogo, seria de uma beleza única.

De vez em quando passávamos por algum barracão abandonado e o Ailton, muito animado, me explicava que, quando havia algum problema com a condução, ele simplesmente armava sua rede numa árvore ou num daqueles barracões-fantasmas e ficava lá até aparecer alguém, coisa que poderia durar uns dois ou três dias.

Começo a sentir um espírito de liberdade naquilo tudo... Afinal de contas, já sabia dar nó em rede, e ter uma rede por perto dá uma sensação de que você carrega consigo seu lar ambulante para qualquer lugar.

Ailton disse ser bom caçador, havia trabalhado para uma firma como rastreador de mata, e realmente estava se sentindo em casa. Paramos de vez em quando para fazer um xixi e esticar as pernas em meio a leitos de riachos deslumbrantes.

Chegamos às margens do rio Juma ao crepúsculo, lá pelas sete da noite, quando ainda havia alguma luz no céu, e o cenário era de uma beleza sombria. Dava para se ver a outra margem, ainda que escurecesse rapidamente e faltasse um bom pedaço de rio para se atravessar. Uma grande balsa jazia atracada, sem ninguém à vista. Ailton nos alerta que, se não chegasse alguma pessoa do vilarejo dos garimpeiros, acabaríamos por passar a noite ali mesmo, pois ele teria de voltar imediatamente para Novo Aripuanã.

Os mosquitos apareceram como num passe de mágica, em meio a uma nuvem espessa, para nos dar boas-vindas, e tratamos de nos besuntar de repelente. Começamos a desembarcar o equipamento quando o Rondon pede que eu me desloque até a margem e grite por alguém, e lá fui eu, meio anestesiado de cansaço, gritar por algum barqueiro providencial. Passam-se uns vinte minutos e nada... Começo a ficar apreensivo, quando notamos um movimento nos igarapés na outra margem. Para nosso rejúbilo, era uma voadeira vindo em nossa direção.

Com as sombras da noite nos engolindo, fui obrigado a colocar duas vezes a minha bagagem na voadeira, simplesmente porque me precipitei e me esqueci de fazer a "cabeça"!

No meio da travessia me bate um pânico, um desespero, e tudo que eu mais ansiava naquele momento era sair daquele lugar. Continuávamos totalmente desconectados da civilização; a comunicação externa só se dava pelo rádio da cooperativa.

Finalmente, depois de três dias e meio de viagem, alcançamos a vila do garimpo de Eldorado do Juma no momento em que as minhas relações com o resto da equipe estavam mais comprometidas do que nunca. Tudo o que queria era tomar um banho, amarrar a minha rede em qualquer lugar e desabar, desaparecer, evaporar.

Ao chegarmos à vila, fomos apresentados à nossa anfitriã, a Rússia, um ser de resplandecente alegria, uma querida pessoa que nos acolheu com todo o carinho e iria nos hospedar no barraco da sede da Cooperjuma. "Trouxe chapéu, protetor solar, repelente de mosquito? O sol no garimpo castiga muito, hein? Já veio muito jornalista estrangeiro por aqui. O cara da BBC também veio garimpar... Ficou vermelho que nem um camarão. Cara muito bacana. Eles trouxeram um monte de caixas de uísque. Foi muito divertido", explicava a Rússia com um sorriso maroto, nos deixando sentir que seríamos muito bem-tratados naquele lugar.

Me lembrei do meu chapéu e pressenti que poderia ter sérios problemas com a sua falta, mas, no meio daquele cansaço todo, aquilo era o de menos.

Atravessamos a vila, entre barracos esparsos, um bar, uma vendinha, uma... Assembleia de Deus! Sim, aquele era um garimpo atípico. Não havia mais puteiros, tiroteio, jogatina, bebedeira. Isso acabou quando foi legalizado, depois de quatro anos de intensa atividade extrativista (a fofoca), justamente quando entrava em franco declínio, em 1º de maio de 2011. Pelo que se deduz, há fortes indícios de que essa legalização tenha sido de cunho eleitoreiro.

Aqueles contrastes todos, a beleza do rio, a imensidão da floresta, pássaros, araras, convivendo com a devastação dos igarapés (dez mil hectares de terra destruída), o barulho das bombas de sucção, a lama, a miséria. Um lugar de improvável clima de harmonia e paz entre seus habitantes, quando geralmente um garimpo é lugar de violência e prostituição.

A corrida do ouro promoveu uma intensa migração para o local e uma degradação ambiental sem precedentes na Amazônia. "O garimpo atraiu muita gente que vivia nos bolsões de miséria que ainda existem na Amazônia, e fechá-lo seria precipitado", conta a chefe do grupo interministerial formado pelo governo federal para ordenar o garimpo, Maria José Salum, do Ministério de Minas e Energia.

Chegamos à sede da Coooperjuma, um barraco de madeira pintada de amarelo, teto de zinco, três cômodos, uma geladeira com TV em cima, uma mesa, uma balança de pesar ouro, um cartaz da cooperativa pregado na parede e eu, sem pensar duas vezes, começo a amarrar a minha rede no meio da sala, preparando meu cafofo local.

Tudo que desejava era tomar meu banho, e para isso deveria ligar a bomba do poço, mas, para tanto, precisava de gasolina e, logo de cara, temos que sair pela vila à cata de combustível.

A vida ali era muito dura, e o simples fato de ligar uma lâmpada era uma aventura extraordinária. A Rússia me leva até o galpão da gasolina, a uns trezentos metros da sede, e lá enchi um galão de vinte litros que trazia comigo. Volto botando os bofes pra fora e sendo filmado, é claro.

Demoramos uma meia hora para colocar a bomba para funcionar, até que, finalmente, iria tomar meu tão esperado banho!

Mas como nada naquele lugar era tão fácil assim, ao ligar a torneira do chuveiro dou de cara com uma aranha cabeluda pendurada na parede do boxe, do tamanho de um siri, e comecei a pensar com meus botões: se tento dar uma chinelada na aranha, periga de ela me atacar; vou é entrar de mansinho no chuveiro e fingir que ela não está a cinco centímetros de meus testículos, ligar a água e tomar meu banho sem fazer muitos movimentos bruscos, só no sapatinho...

Depois do abençoado banho, demos um rolé pela vila, bem na hora da novela das oito, com todo mundo aboletado nos bancos do barzinho curtindo aquele momento máximo de lazer. Era a grande diversão da rapaziada, pois logo em seguida ao término da novela os geradores da vila são todos desligados.

Com toda a equipe assentada em seus respectivos cômodos, cada um na sua rede, me embrulho dentro da minha como se estivesse em um útero e tudo de repente fica negro. Um breu amazônico cobre os meus olhos e, com a chegada da madrugada, o frio invade os meus ossos. Começo a tremer, sem acreditar que pudesse haver semelhante queda de temperatura num lugar tão quente quanto aquele, não obstante já ter sentido aquele frio no barco, mas como é fácil esquecer do frio naquela região... Me enrolo em cada pedaço de roupa que levei, sem conseguir nenhum resultado satisfatório. Às vezes, ligava o iPhone só para iluminar o recinto e verificar se a aranha do chuveiro não tinha vindo me visitar, e, de vez em quando, fazia minhas "autocenas" de exaustão e frio com a minicâmera do Diego.

MÃOS À OBRA! AO GARIMPO

Levanto da rede lá pelas cinco da manhã sem ter dormido mais que duas horas, e ninguém está acordado. Vou passear pela vila, filmar a paisagem com o meu iPad, para ver se tem alguma coisa aberta, pois, como pode se imaginar, estou morto de fome. Chove torrencialmente e penso na possibilidade de adiarmos a minha garimpagem para o dia seguinte, o que me deixa um tanto atemorizado com a perspectiva de ter alongada a nossa estada.

Foi aí que minha vidinha veio a ter um grande consolo por meio da aquisição de dois queridos companheiros de viagem: o Hulk, um vira-latão malhado, e o Tony, um pato simpático e muito social que ficava rondando alegremente fazendo quén-quén pelos arredores do nosso barraco.

Os rapazes acordam lá pelas sete da matina e começam os preparativos para a filmagem da minha performance no garimpo, pois eu trabalharia como um garimpeiro comum em tempo integral, das sete da manhã às seis da tarde.

A chuva arrefece e nós paramos no bar da novela das oito para tomar um salvador café bem forte e comer um pão de queijo. Finalmente, após uma caminhada de uns trezentos metros, começamos a ouvir o barulho das bombas de sucção. De repente, nos deparamos com aquela imensa devastação, diante de uma clareira às margens do rio Juma, do tamanho de uns três campos de futebol, meio que submersa por um palmo de água enlameada, restolho da extração, num caos de lama, terra avermelhada, barrancos, piscinões de água prateada e buracos enormes. Parecia um outro planeta, um lugar atingido por uma saraivada de asteroides. Me senti em Marte.

Em meio àquela paisagem de ficção científica, eis que surge o Celso, chefe dos garimpeiros, retornando do buraco da zona de extração. Homem de fala pausada, atencioso, devia estar com a minha idade, uns cinquenta e tantos anos, pele curtida pelo sol, conta que aquele local já teve os seus dias de glória e atualmente vivia seu triste ocaso, justo no momento em que fora legalizado. Há quatro anos, chegara a obter quatro a cinco quilos de ouro por dia, quando hoje em dia é raro extrair cinquenta gramas — e com essa matemática, não dá nem para pagar o diesel da máquina.

Solícito, ele me encaminha para o barraco das ferramentas e, logo em seguida, nos dirigimos aos barrancos íngremes, de cinco a seis metros de profundidade, pelas trilhas repletas de lama escorregadia.

Descemos até o local da garimpagem, muito barulho, jatos d'água jorrando das mangueiras, picaretas, peneiras, e, no meio dessa confusão atordoante, o Celso me conta que a cooperativa estava esperando um financiamento para adquirir o maquinário apropriado para continuar a extração no subsolo, uma vez que a superfície já estava esgotada e com aquelas ferramentas artesanais não haveria muito mais o que fazer por ali.

Segundo ele, o processo de extração tem quatro etapas: exploração do barranco, sucção da água, repescagem do material e resumo do material com substâncias químicas.

Me livro dos sapatos, dos óculos e mergulho entusiasmadamente no trabalho pesado encarando uma picareta. Àquela altura do campeonato, o desconforto desapareceu junto com o cansaço e qualquer possível inadequação. Estava feliz do lado dos meus novos companheiros e orgulhoso por ter a oportunidade de passar por aquela incrível experiência. O calor é intenso, um mormaço traiçoeiro impera, cozinhando a pele, e, sem meu saudoso chapéu, em 15 minutos estava todo rosa. Passo uns quarenta minutos naquela função, quando o Celso me convoca para pilotar a mangueira. É um trabalho bastante perigoso: um garimpeiro havia se ferido gravemente, perdendo todos os dentes, com um coice da pressão da água. Esse jato d'água ajuda a desbastar o barranco e escoar a lama com cascalho, pedras e outros detritos para um piscinão de coleta. Outro colega morreu soterrado por um barranco, havendo muitos garimpeiros com diversos tipos de mutilação.

De repente, um silêncio cobre o sítio numa paz momentânea. O motor da bomba parou por falta de combustível, e, como não poderia deixar de ser, vou lá ajudar a puxar a corda para religar a máquina, enquanto o Diego vai filmando tudo e o Rondon vai me passando o texto, mesmo sem que tivéssemos um só momento de concordância em relação ao que eu iria falar.

A essa altura, estou enturmadíssimo com a rapaziada e um dos meus novos colegas me mostra a boca cheia de ouro. "Aqui ninguém mete a mão", explica o Roberto Carlos, com seu áureo sorriso.

Dá para imaginar que não demoraria muito para que eu cometesse a minha primeira gafe: estou submerso de lama na piscina de coleta a entrevistar entusiasmado um garimpeiro no meio daquele barulho todo quando ele me aponta uma vara de uns três metros de comprimento. Sem ouvir direito o que ele estava dizendo, deduzi se tratar de um artefato para desbastar o barranco. Sem transição, empunho a vara, começando desajeitadamente a cutucar a terra. O cara cai na gargalhada, larga o que estava fazendo e vem em meu auxílio, explicando a sua verdadeira função: a tal vara era apenas para se escorar, como se fosse um poleirinho, para facilitar ergonomicamente o acesso a pedras mais robustas que se assentam no fundo do piscinão...

Trabalhamos até uma e meia da tarde, quando percebo que estou morto de fome e todo queimado: do rosa fui ao roxo.

Paramos com tudo e nos encaminhamos para um casebre de madeira que fazia o papel de cantina, onde nos aguardava uma senhora muito simpática com um almoço celestial: frango assado com arroz, feijão e uma saladinha. Não comia uma refeição desde o café da manhã em Novo Aripuanã, mas refeição de verdade, mesmo, não comia desde o Galo Carijó, em Manaus.

Enquanto almoçamos, o Celso me explica com detalhes como é dividido o dinheiro no garimpo: 30% para o garimpeiro, 10% para a cooperativa e 60% para o dono do garimpo mais os custos de produção.

Agora, uma coisa que me deixou curioso foi o tal dono do garimpo. Quem seria o dono do garimpo, uma vez que eram terras do governo? Mas achei melhor não entrar em detalhes, mesmo porque a pauta deveria ser "favorável".

Bato dois pratos e entro em estado de rejúbilo proteico!

Depois da boia, voltamos para o serviço, dessa feita em cima de uma prancha de madeira de uns três metros de altura, com uma inclinação de uns vinte graus, uns dez metros de comprimento, num formato de calha, toda forrada de telas de ferro pregadas na madeira. No topo, um barril de metal com uma mangueira jorrando água incessantemente no seu interior. O trabalho é desconfortável e perigoso, pois a prancha está cheia de pregos debaixo de toda aquela água lamacenta.

Segundo mais informações do Celso, o grama do ouro varia de 85 a 86 reais, em Porto Velho já são 90, e quanto mais longe, mais caro o grama do ouro. São necessárias 10 a 12 horas por dia para extrair pelo menos cem gramas, para não ter prejuízo, ou seja, àquela altura do campeonato, com a fofoca fenecida, era uma batalha perdida todo aquele esforço. De súbito, o barril estremece, aderna traiçoeiramente e quase despenca em cima do meu querido pé, que decerto seria amputado se o barril tivesse caído.

Estava na cara que o dia de trabalho seria mais um dia em vão quando começa a "bateção" das telas em um outro barril, no pé da prancha, escorrendo a água enlameada da calha para dentro, e eu tentando desajeitadamente dar a minha contribuição, a bater a tela e fazer a peneiração com uma cumbuca.

Por fim, temos o resultado do dia: uma quantidade ínfima de ouro.

Logo em seguida, nos dirigimos a outro piscinão de coloração prateada suspeita e, assolado pela visão apocalíptica do cenário, indago educadamente se não estaria contaminado de mercúrio: "Não. A gente não trabalha com azougue, não", responde sorrindo um dos garimpeiros que estava com metade do corpo submersa naquela água. De imediato, me convida para entrar. Eu, por minha vez, tímido, insiro meus pés o mais raso possível. Ele, para me provar que estava em um meio saudável, retira uma castanha do Pará do bolso submerso de sua bermuda, dá uma mordida e me oferece. Meio que em pânico, mastigo a castanha com um sorriso amarelo, filosofando: "Puxa vida... que trabalhão pra essa merrequinha, né?" E ele me responde: "Pois é... acabou a fofoca por aqui. Fofoca boa tá no Jacaré, aqui do lado. Lá eles tiram uns cinco quilos num só dia, e por isso mesmo tá cheio de mulher por lá. A mulherada toda se mandou daqui. Só tem mulher onde tem fofoca."

Subimos com o precioso e escasso material até o mesmo local do rango e lá nos pedem para não filmarmos o processo final; suspeito de que utilizavam o azougue (mercúrio) para a sublimação. Em seguida, acendem um maçarico em direção ao metal na cumbuca e, como que por um passe de mágica, aquela substância prateada se transforma em ouro. No caso, 26,3 gramas de ouro, como foi consignado na pesagem final. A divisão foi a seguinte: 2,6 gramas, os 10% da cooperativa, 16,2 gramas, os 60%, que dão 1.152 reais, 1.000 reais para o aluguel do trator, 400 reais para o combustível... Moral da história: depois de dez horas de trabalho, 248 reais de prejuízo!

FESTA NA FLORESTA

Saio um tanto perplexo com toda aquela terrível realidade, todo enlameado, com queimaduras de segundo grau nos ombros, bolhas nos dedos das mãos, os pés furados, e como a bomba-d'água do nosso barraco não está ligada, me disponho a tomar um banho de rio.

Caminho até a margem (o barracão devia estar a vinte metros do rio) e encaro as águas escuras do Juma acompanhado do Hulk e do Tony, impressionado com o papo do Isvair, imaginando piranhas, jacarés-açus, ariranhas e pirarucus vindos das profundezas. Não havia como entrar gradativamente, banhando os pés, e depois filosofar na companhia de meus dois amigos; tratava-se de uma ribanceira cheia de pedregulhos e lama. Percebendo que precisava radicalizar, me encho de coragem e mergulho aterrorizado, verificando ser o rio muito mais fundo do que imaginava, mesmo colado à margem. Aquilo mais parecia um poço! Entro em pânico e tento desesperadamente sair. A margem é alta, íngreme e cheia de lama muito escorregadia. Para chegar a salvo em terra firme, tenho que fazer uma série de circunvoluções esdrúxulas, me agarrando ao barranco. Uma cena ridícula. Resultado: saio mais enlameado do que entrei, ligeiramente humilhado, tendo como único respaldo emocional a indiferença tranquila e cúmplice dos meus dois amigos.

Ao cair da noite, nos recompensamos com um delicioso jantar patrocinado pela Rússia no restaurante local, pilotado por dona Maria, uma senhora que sempre viveu de prestação de serviços ao garimpo. Uma cozinheira soberba e requintada, que, se pudesse, chamaria para abrir um restaurante chiquérrimo nos Jardins. Comemos peixes recém-pescados do rio, uns assados, outros como ensopado, arroz, feijão, uma salada com as verduras colhidas diretamente de sua horta e uma pimenta local saborosíssima, muito quente (chumbinho), com que ela acabou me presenteando. Um jantar inesquecível.

Logo em seguida, vamos todos assistir à famigerada novela das oito para depois fazer um sarau antológico de despedida, regado a cerveja, na vendinha que ficava em frente ao barzinho da TV.

Arrebanhei meu violão no intuito de tocar umas canções para a rapaziada, todo mundo fazendo lá e lá, lá, lá... e lá, lá, lá (a Rússia revirava os olhinhos de felicidade), quando surge uma dupla sertaneja local de garimpeiros, o Neneca e o Tibúrcio, que se juntam a nós. O Neneca, muito arisco e tímido, reluta em aceitar o violão para nos dar uma palinha, desconfiadíssimo da minha pessoa, quando percebe a braçadeira e fica maravilhado: “Olha, vou te dizer uma coisa... se eu tivesse uma braçadeira igual a essa, nunca mais precisava de fazer pestana, sô!” É claro que dei a braçadeira de presente para o Neneca, ainda que a montagem do programa tenha feito o público acreditar que eu estava dando o violão. Animadíssimo, pegou o violão e começou a dedilhá-lo executando seu repertório. O Tibúrcio, mais arisco e desconfiado ainda, cantava com muita malandragem, com expressões marotas, e, quando estava mais à vontade na nossa roda, nos confessou ter perdido uma boa parte da mão numa bomba de sucção. Os dois começaram entoando uma canção muito engraçada e maliciosa, com o intuito de dar uma sacaneada no Nascimento, o dono da venda, com uma letra que dizia algo mais ou menos assim: "Gavião só dorme no pau e vive com o pinto no bico..." A noite estava deliciosa e todos nós caímos na gargalhada.

Em um determinado momento, o Tibúrcio, já completamente descontraído, me convida para dar um pulo até o seu barraco, ao lado da venda, enquanto Neneca continua a mandar ver no violão. Me mostra um estoque clandestino de cachaça, abrindo prontamente uma garrafa, e me oferece uma dose: "Sabe que aqui está proibido bebedeira de cachaça? Lá fora, só cerveja, senão pode dar tiroteio." Num pacto de cumplicidade e camaradagem, tomamos uns goles generosos e voltamos para a festa, que bem cedo chegava ao fim. Uma festa cercada pela floresta, no coração de uma vila de garimpeiros, no coração da Amazônia, no coração do Brasil.

Tínhamos plena consciência de que estávamos todos ali, naquele momento raro, compartilhando uma felicidade genuína, pura e verdadeira. Na manhã seguinte, todos voltariam para aquela vida de sonhos e reveses, na esperança de, quem sabe um dia, achar um barranco cheio de ouro.

Ao deitar na rede, no meio daquela escuridão, me bateu uma alegria búdica. Me sentia em casa... Aquele local, de uma hora para outra, se tornara aconchegante, como se toda a floresta me abraçasse. Percebo a presença do Hulk deitado ao pé da rede, o Tony refestelado no jardim, os rapazes da equipe roncando numa incrível sinfonia de apneia, cansaço e recompensa.

O ÚLTIMO DIA NA VILA

De manhã, sou acordado com a Rússia batendo na porta acompanhada de uma figura impoluta: uma linda arara vermelha e azul, moradora original da floresta que fez amizade com a rapaziada da vila e em especial com nossa anfitriã. Tratava-se de uma ave incrível... se refestelando nos braços dela, voando raso entre os telhados dos barracos... A Rússia perguntava o nome dela e ela respondia: "Eu sou a Laura! Eu sou a Laura!" Voou até o barzinho da novela das oito, onde já havia uma xícara de café e um pão, especialmente servidos para ela. A Laura pegava o pão no bico, embebia na xícara e, depois, comia. Em seguida, muito enturmada e faceira, ia saudar todos os habitantes do local gritando seu nome, aos quatro cantos, pousando na janela de cada um a berrar: "Eu sou a Laura! Eu sou a Laura!"

Rússia, no afã de fazer uma aproximação maior comigo, disse para eu dar, sem medo, o braço para a Laurinha se aprochegar, quando, sorrateiramente, toda meiga, se encosta em mim e sem a menor cerimônia começa a me furar o antebraço com toda a calma do mundo! E eu ia aumentando o diapasão das minhas súplicas: "Pô, Laurinha. Laura, pô! Porra, Laaaaura!" Fez um buraco que dava para colocar um piercing. Foi encantador.

Na hora da nossa última refeição na vila, dona Maria fez questão de caprichar ao máximo nas suas habilidades culinárias e nos presenteou com um lauto banquete, uma enorme variedade de pratos na mesa num desfile de peixes variados, cozidos, aves, arroz, feijão, farofa e saladas.

Chegamos ao restaurante sabendo que teríamos um almoço e tanto de despedida, contudo, no meio daquela efeméride gastronômica, sofremos um baque, um choque! Todos nós, perplexos e sem saber como reagir, testemunhamos algo devastador: entre aqueles deliciosos acepipes, jazia elegante e dourado, envolto em tomates, folhas verdes e batatas, o meu querido Tony! Dona Maria assou o Tony!

Aguardava na tristeza daquela perda, envolto em profundo luto, ao lado do Hulk, a chegada de nossa viatura na vila, quando mais um acidente acontece: o Pedro, vulgo Bin Laden (recebera aquela alcunha em virtude de sua magreza de faquir, sua tez bronzeada e sua barba muçulmânica), o cara que tomava conta da bomba-d'água, teve uma séria crise de hérnia quando tentava colocar o motor de cordinha para funcionar, no intuito de nos proporcionar o último banho. Numa daquelas braçadas olímpicas, ele se entorta todo, e torto permanece, com terríveis dores. Nós iríamos ter de levá-lo conosco até o hospital da cidade de Apuí.

Enfim, chega a caminhonete com um bom atraso, nos despedimos de todos com muita emoção, e a Rússia, sempre com a Laura no ombro, nos deseja ver em breve, sendo que, da próxima vez, para registrar a volta triunfal da fofoca ao garimpo do Eldorado do Juma. Entramos na Mitsubishi preta e lá fomos nós pegar a balsa, quando o Hulk sai em disparada ao lado da caminhonete a latir, nos dando adeus.

Todavia, os setenta quilômetros que nos separavam de Apuí se transformariam numa epopeia de mais de seis horas para chegar à cidade. Tivemos um sério problema com a roda traseira e paramos oito vezes para conseguir, com muito gatilho e improvisação, chegar sãos e salvos ao nosso destino.

Após a internação do pobre Bin, rumamos felizes em direção ao hotel, porém, como não poderia deixar de ser, ao ultrapassarmos o perímetro urbano, percebemos que rolava aquele apagão familiar, tão onipresente e constante em nossas terras quanto as Assembleias de Deus e as novelas das oito.

Pernoitamos no hotel Silverado depois de um alegre passeio pela noite apuiense, quando celebramos o sucesso de nossa empreitada com uns espetinhos de frango e umas boas cervejas. Entretanto, contrariando nossas expectativas, as aventuras não haviam terminado ainda: na manhã seguinte, ao chegarmos ao aeroporto da cidade, uma surpresa. Não havia vivalma no lugar! Nenhum atendente, serviçal, garçom... Ninguém.

Esperamos nosso avião naquele sítio-fantasma, naquelas dependências totalmente desabitadas, por umas duas horas, imaginando como serão os próximos oitocentos aeroportos que a nossa governanta nos prometeu. Quando avistamos a aeronave chegando, nossa alegria se assemelhava à de náufragos num resgate. Me aboleto no lugar do copiloto e desfruto do passeio filmando aquelas paisagens incríveis, sobrevoando aquela região deslumbrante, exuberante, com aquela floresta, seus rios, barcos, as nuvens cinza das queimadas flutuando sobre o coração da Amazônia por mais duas horas até aterrissarmos em Manaus.

Me despeço dos meus companheiros de equipe, pois prosseguiriam no trabalho com outra reportagem. Com todos os atritos e arranca-rabos no transcurso da nossa aventura, nascia ali um sentimento de afeto e camaradagem por todos, e em especial pelo Rondon, que se tornou um amigo do peito. Dedico este capítulo a ele, a seu profissionalismo e a sua incansável paciência.

Depois de aproveitar aquele resto de dia em Manaus passeando por suas ruas, pela praça do teatro, fuçando livrarias, escolho um belo restaurante tradicional no afã de comer um excelente pirarucu com um Chablis geladíssimo. Ao cair da noite, já refestelado no meu quarto de hotel cinco estrelas, preparando minha bagagem para a viagem de retorno a São Paulo na manhã seguinte, me vem à cabeça toda essa experiência formidável, esse mergulho de corpo e alma num Brasil profundo, e o que fica no ar, além do amor, da miséria, da beleza, do afeto, do abuso e da devastação, é a percepção da Terra do Nunca como nossa sina: de um lado, a luta titânica de um povo que, numa alegria perturbadora, disputa palmo a palmo com a impossibilidade seu pedaço de existência, enquanto de outro prevalecem, intactos, incólumes, perenes e gloriosos, os pilares da nossa ruína.

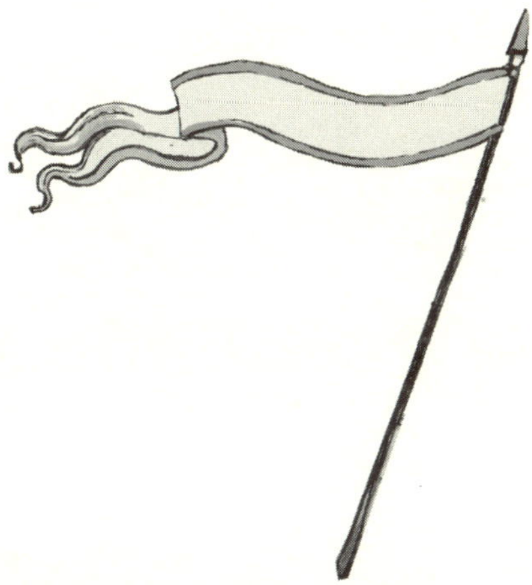

CAPÍTULO 7

CONFESSO A VOCÊS: SOU UMA BESTA QUADRADA

Durante os muitos anos da minha formação, e até bem pouco tempo atrás, tive uma postura bastante ambígua em relação a uma série de conceitos e ideias sem nunca ter me preocupado muito com esse desleixo ontológico. Ora me aproximava de ideias de esquerda, ora pisava fundo na jaca do hedonismo alienado, algo visto como típico da decadência burguesa, uma contradição bastante reprovável e muitas vezes, para piorar minha situação, conseguia unir os dois tipos de comportamento, numa alegre promiscuidade esquizofrênica.

Ao longo do meu período de existência, sempre me perguntava por que eu me sentia mais chique, mais inteligente, mais enturmado, mais sexy, me declarando um cara de esquerda. O que haveria de tão sedutor numa doutrina em que, sinceramente, nunca tive muita paciência para me aprofundar, além de uma sistemática antipatia a quase tudo o que dela exalava?

Devia ser porque havia tantas discrepâncias no mundo... Enquanto magnatas emperucados, de botox, compravam em

Las Vegas automóveis impensáveis para qualquer cidadão, grande parte do mundo vivia em meio à fome e à miséria. Seria isso?

Com todos esses contrastes absurdos, não poderia passar pela minha cabeça que um sistema socialista pudesse ser bem mais cruel, injusto e ineficaz do que as agruras e excentricidades deliquescentes do capitalismo.

Sendo um garoto rebelde, optei pelo roquenrou, que, apesar de todo o seu glamour, constatei ter muitos componentes do pensamento de esquerda ou, quem sabe, a esquerda os tenha açambarcado. Mas o rock, aqui no Brasil, era a manifestação mais grotesca e reprovável da decadência capitalista.

Ser roqueiro e ser de esquerda chegou a ser um paradoxo, pelo menos nestas plagas, assim como em Cuba. Contudo, no Primeiro Mundo era uma conduta antiestablishment, antissistema, um comportamento pacifista de hippie e sandinista, de punk. Na verdade, na América, desde o movimento beatnik e a música folk de protesto, havia um sério engajamento de tendência socialista e antigoverno, principalmente depois do assassinato de John Kennedy, eclodindo em todo o seu esplendor na Guerra do Vietnã.

Eu me lembro perfeitamente daquele dia em que mamãe me trazia do Colégio Pernalonga em seu fusca vermelho, quando, ao descer na garagem do nosso prédio, em Copacabana, grita no rádio um locutor histérico a notícia que paralisou o mundo: Kennedy havia sido assassinado. Minha mãe deu um pulo no assento, abandonando o fusquinha enviesado entre as pilastras, bateu as portas, deixando minha merendeira presa, e eu gritava: "Mãe, tô com a merendeira presa na porta do carro!" E ela me respondeu aos prantos, já com a porta do elevador aberta: "Larga essa merendeira e vem comigo, mataram o Kennedy! Mataram o Kennedy!"

Viver naqueles anos não era fácil: a qualquer momento esperávamos por um ataque nuclear, as relações dos Estados Unidos com a ex-União Soviética estavam no auge da tensão, e ainda por cima tinha a China com o Mao praticando atrocidades, Cuba mandando centenas de pessoas para o paredão...

E mamãe morrendo de medo de uma invasão comunista por aqui. O governo do Jango estava perdendo as rédeas, greves, comícios em sindicatos, a luta armada era uma conversa corriqueira nos botequins e tudo indicava que, depois do comício da Central do Brasil, entraríamos numa guerra civil.

Veio a passeata da "classe média reacionária", mais de oitocentas mil pessoas pedindo que o Exército tomasse conta do poder, a essa altura do campeonato completamente entregue ao iminente golpe da esquerda que nos transformaria de imediato numa ditadura bananocomunista.

Pois bem, os militares tomam o poder numa revolução de pijama e nos salvam daquele triste destino, de virarmos um Cubão. Contudo, acabamos numa ditadura militar que duraria 23 anos, e durante o transcorrer desse período o militar, em geral, se tornou o grande vilão nacional.

Todavia, nossos intelectuais, artistas e jornalistas, que sempre, em sua grande maioria, foram de esquerda, continuaram a sua jornada doutrinária, e quem não tinha nada a ver com o pato acabou tendo que passar todas as privações de um Estado de exceção.

A maior peculiaridade da criatura de esquerda é a sua absoluta incapacidade de enxergar o óbvio: a esquerda, definitivamente, não funciona. Quando se referem a ela como utopia, nada pode ser mais apropriado. Talvez pelo fato de o esquerdista ser, antes de tudo, uma vítima e um mago da propaganda (Sim! A única grande virtude do comunista é a propaganda), a população em geral acabou por demonstrar simpatia e compaixão pelos pobres e nossa História esqueceu que foram justo os movimentos de esquerda, em pleno vigor e ação desde os anos 1930, os grandes e únicos patrocinadores da ditadura em que passamos a viver. Isso é algo que, inexplicavelmente, relutamos em engolir. Como o militar foi transformado numa figura execrável, um torturador, privador de nossa liberdade e de nossos direitos, ficou fácil transformar uma doutrina absurda, repressora, genocida e inoperante em algo libertário, martirizado, romântico, justo e progressista.

Bom, a propaganda é a alma do negócio, não é verdade?

Nos Estados Unidos, com a guerra do Vietnã, a contracultura americana toda foi para a esquerda e uma revolução comportamental sem precedentes se iniciou: direitos civis, luta contra o racismo, festivais de rock vaticinando contra a guerra e, a partir de então, tudo o que não era careta era de esquerda, inclusive as drogas.

Che Guevara, uma figura execrável, um psicopata genocida, se transformou em ídolo pop. Quando o capturaram juntamente com seus companheiros na Bolívia, encontraram armas e munições nas mochilas de seus comandados, enquanto nos *personal belongings* do comandante, um nécessaire com um espelho e um pente (de cabelo). Sem contar o chororô, implorando para que não o matassem, que ele seria mais importante vivo do que morto. O pente e o espelho deveriam ser para a ocasião do antológico julgamento que acabou não acontecendo.

Me lembro quando fui pela primeira vez aos Estados Unidos, em pleno Watergate, e ficava maravilhado em ver a cara do Nixon estampada em rolos de papel higiênico, toda aquela fúria libertária do rock 'n' roll, o Lennon recebendo medalha do Fidel. *Power to the People, Working Class Hero.*

Nunca havia me passado pela cabeça que Cuba era e é uma ditadura militar! Comandantes fardados de verde-oliva... mas não são reconhecidos como tal. Por quê?

Tudo isso produzia uma tremenda confusão na minha cabeça, pois, se o rock, perante a *intelligentsia* brasileira, era tido como colonização do imperialismo americano, um gênero que promovia a alienação cultural, algo a ser repudiado, com direito até a passeata contra a guitarra elétrica, como esse rock poderia ser, ao mesmo tempo, aquela manifestação de rebeldia, de reivindicação dos direitos dos negros, dos homossexuais, das mulheres, do amor livre, Jane Fonda posando no front com os vietcongues, Rolling Stones filmando com Godard, como o capitalismo poderia produzir algo tão... de esquerda assim? Culpa.

Ao adentrar a minha idade adulta, me via como um anarquista desajustado que estava cagando um balde para política, ditadura, direita ou esquerda. Comecei a ler escritores anarquistas, como Kropotkin, Bakunin, Proudhon, fora os *beats*, Kerouac, Burroughs, Ginsberg, com o intuito inconsciente de me livrar daquela miscelânea ideológica que muito me atormentava, sem me dar conta de que estava sendo apenas um ser fashion ansiando por aprovação da minha turma.

Não conseguia me enquadrar nas doutrinas vigentes: a direita era a imagem da caretice, conservadora e, antes de tudo, me perseguindo por todos os lados aonde ia, fora o fato de, naquele tempo, ser caracterizada como uma vilã que chancelava torturadores e nos tolhia a liberdade.

Na verdade, o Brasil nunca teve uma direita. Teve e continua tendo um irremissível coronelato hereditário.

A esquerda, a meu ver, um bando de frouxos, opacos, desprovidos de qualquer estilo que não fosse o arquétipo do desgrenhado barbudo de sandália de couro, se vitimizando de tudo e de todos, recalcado com o brilhantismo alheio, cheio de palavras pedantes como utopia, engajamento, contextualização, plenária, incrivelmente me cativou, creio que por pura imbecilidade da minha pessoa. E como eu sou comum...

Comecei a atuar através de alguma forma de manifestação política em pleno governo Sarney, meu primeiro alvo. Antes, ainda no governo Figueiredo, a canção "Ronaldo foi pra guerra" era um hino à total desimportância da minha geração, e nesse mesmo disco tive uma música censurada (chiquérrimo), mesmo sendo desprovida do menor cunho político. Chamava-se "Teoria da relatividade" e tratava de um nerd que precisava dividir sua namorada com outro por ler muitos livros.

Soube da morte do Tancredo pelo *Planeta Diário*... Ainda me lembro da manchete: "Dona Risoleta parte para a carreira solo!"

O Sarney era para mim tudo o que poderia representar de mais medíocre e retrógrado no país, e não desconfiava de que aquilo era apenas um prelúdio. Eu poderia incluir aqui a minha prisão e seus quatro anos posteriores como típica perseguição política, mas prefiro acreditar que fui tratado simplesmente como um mero marginal, que minha péssima conduta poderia levar toda uma geração para a delinquência juvenil. Uma espécie de subversão de segunda classe. Creio que peguei um certo asco de autoproclamados perseguidos políticos.

Desandei a fazer canções meio que de protesto (eu detesto canções de protesto), como "Revanche", "O eleito", "Quem quer votar", "Panamericana", "Presidente mauricinho", e nesse ritmo fui me engajando, meio que no vai da valsa, na ala esquerda, principalmente por acreditar ser o Sarney o representante mais vil da direita.

Eu explico o porquê do vai da valsa. A minha primeira manifestação explícita de animal político-partidário foi quando voltei de um longo período no exterior (minha fuga para Los Angeles durou quase um ano, até prescrever meu delito), e logo ao retornar percebi estarmos numa frenética campanha presidencial.

Como era uma anta apartidária, e alijado de qualquer informação sobre o pleito, assim que um jornalista me perguntou em quem eu iria votar, respondi entusiasmado, sem titubear: no Roberto Freire! Imaginava Roberto Freire ser o famoso psiquiatra e escritor de livros que havia lido com sofreguidão, como o iconográfico *Sem tesão não há solução*, criador da somaterapia, uma espécie de terapia anarquista.

Pois bem, o jornalista, motivado por minha entusiasmada opção, teve a incrível ideia de fazer um encontro da minha pessoa com o tão aclamado candidato. Num curtíssimo espaço de tempo, uns dois dias após a conversa telefônica, lá vou eu me encontrar com o Roberto Freire, quando sofro um baque. Era outro Roberto Freire!

E olha que não estava nem um pouco a fim de votar no Lula por achar o PT meio comunista, um tanto grotesco, meio sectário, e, sem mais delongas, caio no colo do Partido Comunista Brasileiro!

A minha sorte foi ter me simpatizado bastante com o Roberto Freire e seu candidato a vice, Sérgio Arouca. Pensei com meus botões... são uns caras corretos, o comunismo está moribundo e eles não têm cara de comissários da KGB, portanto vou engatar uma quinta e seguir em frente.

Para resumir a conversa: eu me tornei um dos principais cabos eleitorais do Roberto Freire, o acompanhava para os debates nas televisões e rádios (o Brizola sempre me fuzilava com aquele olhar emoldurado por grossas sobrancelhas), viajava pra cima e pra baixo no jatinho do partido, para comparecer aos comícios em várias capitais, quando acabei fazendo amizade com um dos mais históricos comunistas do Brasil, o grande Salomão Malina, o último secretário-geral do partido aqui no Brasil, um senhor muito simpático e doce, herói de guerra, que tinha uma mão amputada em virtude de uma explosão de granada na Segunda Guerra Mundial, fato esse que me levou a descobrir, emocionado, que ele havia lutado na Itália, na mesma companhia do meu querido tio, que, por seu turno, perdera um rim, o baço e parte do intestino. Era uma festa papear com aquela figura histórica. Passávamos a maior parte do tempo das viagens ouvindo o Salomão contar suas incríveis aventuras, tanto na guerra como em suas escaramuças comunistas.

Quando ele morreu, em 2002, senti a perda de um tio querido. Fiquei muito triste também com a morte do Sérgio Arouca, uma querida pessoa e um excelente médico. Quanto ao Roberto Freire, é um dos poucos oposicionistas do atual governo e nutro simpatia e admiração por ele.

No segundo turno, como achava o Collor um tremendo canastrão, o que restou foi juntar-me aos outros 99% de artistas e intelectuais, todos cantando "Lula lá". Até o Cazuza era PT! Não sei se o Renato Russo cairia nessa roubada... Não era a cara dele.

O PT nunca me cativou de verdade, detestava padre da Teologia da Libertação, não suportava aquela aura chico-buárquica, mas àquela altura do campeonato acreditava que um partido com gente diferente, que primava por ser honesto, deveria ter a sua chance de governar o país, daí mergulhei de cabeça e desandei a aparecer em todos os comícios, inclusive naquele célebre, da Candelária, em que o Luís Carlos Prestes se fez de pedestal segurando o microfone para que eu cantasse "Revanche".

O episódio do *Faustão,* pelo qual tantos me cobram coerência histórica, eu contei em detalhes no *50 anos a mil* e, se vocês quiserem rever, está no YouTube. A partir daquele período, eu não estaria mais alijado do jogo político no país. Virei um petista circunstancial, mesmo porque aquela patuscada no *Faustão* formou uma espécie de elo metafísico com o partido.

Na minha sanha contra o Collor, em meio a sua enorme popularidade, tive a ideia luminosa de compor uma música em sua homenagem, e, junto com meu então parceiro Tavinho Paes, cometemos "Presidente mauricinho"... Talvez em virtude da inadequação da época em que foi lançada, obteve um retumbante fracasso comercial e absoluta falta de empatia popular. Mas a letra eu vou colocar aqui para elucidar uma história trajocosa que logo em seguida contarei:

O presidente sai de moto
Pelo eixão monumental
O presidente anda a mil
No país do carnaval
O presidente tira fotos
Com um índio no palácio
O presidente sai com o papa
E sua corte é um esculacho
O presidente tá no Polo Sul
Tá jogando com a seleção
O presidente de avião a jato
Dá mais bandeira que doidão
O presidente casou com uma gata

Dispensou e casou com outra
A gata era milionária
Não ligou e deu a maior força
Aí... aí... aí, ô, jet ski...
O presidente é um lorde inglês
Sonhando com o Primeiro Mundo
Ser presidente até que é um bom emprego
Num país de vagabundos
Já foi marca de cigarros
De conhaque e de cachaça
O presidente é a maior palha
E ainda vai virar fumaça,
Aí... aí... aí, ô, jet ski!
Babaca! Ba-ba-ca! Sai daí, seu BA-BA-CA!

Pois bem, estávamos em plena campanha para a prefeitura de São Paulo em 1992, e o candidato do PT era o nosso doce e querido Eduardo Suplicy, figura por quem tenho o maior carinho. Como não seria difícil de imaginar, fui convocado para dar uma palinha num grande comício que seria realizado no Vale do Anhangabaú com a presença de mais de trezentas mil pessoas. Cheguei ao local de violão em punho e um assistente de campanha me sugeriu uma apresentação ao lado do Olodum, que já estava no palco em possante performance, quando tive um estalo: vou tocar "Presidente mauricinho" em ritmo de reggae!

Fui chamado ao palco e, sem transição, fiz uma pequena preleção com a galera do Olodum explicando como seria nossa apresentação: bastava que eles tocassem reto aquele ritmo cadente, característico do grupo, e eu inseriria a minha canção no *groove* deles.

E não é que ficou joia? Caiu como uma luva! De repente lá estava eu cantando "Aí, tum tum pratirum dum, aí, ô, jet ski!" cheio de suingue, virado praticamente numa entidade baiânica, com o nosso simpático e animado candidato sentado à direita do palco batendo os pés acompanhando o ritmo.

A plateia começou a cantar, receio que sem muita convicção do que a canção poderia retratar, mas o ritmo era epidêmico, o refrão, jocoso, animação geral, quando um dos assistentes, suponho eu, aparentando estar possuído por uma daquelas ideias brilhantes do gênero "vamos aproveitar o delírio popular", sussurrou alguma coisa na orelha do candidato que, célere, se levantou sorridente, saltitante, sambante e, acompanhando a levada do Olodum, caminhou impávido na minha direção. A plateia ululava, tambores trovejavam seus graves por todo o Vale do Anhangabaú e eu cantei a parte da letra que dizia "Babaca! Ba-ba-ca!". Ele visivelmente se assustou, seu semblante escureceu... Eu, inocente, o observei surpreendido, entretanto prossegui resoluto: "Sai daí, seu BA-BA-CA!!!!!!" O pobre, de imediato, encolheu os ombros, esticou os braços espalmando as mãos numa mímica tipo não quero incomodar, imaginando imerecidamente uma inadequada carapuça a lhe cair, que o impropério da letra, sabe-se lá Deus por quê, dirigia-se a sua pessoa, fez um giro de 180 graus e, resignado, saiu de fininho como um garoto flagrado roubando doce na geladeira!

A apresentação murchou instantaneamente com um "ohhhhhhhh!" coletivo, que ninguém queria admitir ouvir, o ar exalava a perplexidade da perda por toda a extensão do Vale do Anhangabaú e eu matutei: pronto, agora a vaca foi pro brejo.

Mas foi na campanha de 2002 que eu mais me embrenhei pela eleição do maior número de candidatos do PT, em virtude da minha outra campanha, pela numeração de CDs. Toquei em quase todos os recantos do país. A lei foi sugerida pela deputada federal Tania Soares (que entrara na vaga de Marcelo Déda, de Sergipe), e com a amizade que desenvolvemos estava mais próximo que nunca do PT, muito embora ela fosse filiada ao PCdoB.

Estava tão dentro do partido que acabei por tornar meu advogado o Luiz Eduardo Greenhalg, ou seja, frequentava o chamado núcleo duro do PT.

Já havia participado de dois Fóruns Mundiais, sendo que num eu toquei para mais de cinquenta mil pessoas e no outro fiz uma palestra sobre o jabá e a censura através do poder econômico. Também fiz uma ponta para o *Fantástico*, como repórter por um dia, numa matéria sobre as rádios comunitárias, assunto em que acabei virando expert e militante, e quase fui linchado junto com a equipe da Globo por um grupo de estudantes que vendia camisetas do Che a preços escorchantes.

Nesse meio-tempo, virei membro honorário do MST e participei de algumas ações, como visitar companheiros presos numa penitenciária no interior de São Paulo por, simplesmente, vandalizarem cabines de pedágio, frequentei um curso de férias na Unicamp, recebendo um kit com produtos feitos pelos membros da entidade. Assistia com entusiasmada resignação a encenações do Teatro do Oprimido.

Adorava passear pela orla de Ipanema com a camisa do MST.

Todavia, o encontro mais emblemático que tive foi com o então candidato Lula no diretório central, em São Paulo, na campanha presidencial de 2002, ao lado do Zé Dirceu, do Mercadante e de outras figuras impolutas do partido, quando iniciamos uma conversa numa sala reservada, onde eu disse, meio embaraçado, que endossaria sua campanha caso ele se propusesse a continuar o processo de numeração dos CDs (na verdade, teríamos a lei promulgada ainda no governo FHC) e um programa que tivesse a educação como foco central, a exemplo da Coreia do Sul, para que em dez anos estivéssemos em condições de exportar cientistas para o mundo. Lula me explicou ser exatamente isso que iria implementar, que a educação era o foco principal de seu programa de governo etc. e tal, quando acontece um inusitado e constrangedor apagão que durou uns vinte minutos! Alguns pigarros, fósforos riscados, aquela falta de assunto...

Minha mulher, Regina, que estava a meu lado o tempo todo, com aquela percepção cruel que só as mulheres possuem, me sussurrou logo que a luz voltou: esse cara que está ao lado do Lula (no caso, o Zé Dirceu) deve tomar uns antidepressivos, tem uma salivinha branca nos cantos da boca. E sabe o que mais? Esse Lula é um tremendo picareta. Todo mentiroso olha para cima quando mente, você reparou que ele só olhava pra cima até a luz apagar? Pode escrever: desse mato não sai cachorro.

Ainda me considerava um crédulo militante do partido, mesmo quando Lula convocou o Gilberto Gil para o Ministério da Cultura, me deixando em estado de choque por alguns dias. Na verdade, com a minha frágil formação política, eu nunca pude aventar a possibilidade de apoiar comunistas! Fato que vim a perceber muito recentemente e, por isso, me senti na obrigação moral de escrever um capítulo dedicado a exibir a minha intensa imbecilidade.

O primeiro estágio do meu desligamento foi a perplexidade e a indignação com a abundância de trambiques monumentais, e o segundo foi saber que são trambiques por uma causa, para eles, nobre. A impressão que o PT passava de ética, de honestidade, de um partido diferenciado dos outros, de tantos artistas e intelectuais bacanas envolvidos, só poderia ser uma coisa positiva. Não poderia passar pela minha cabeça que estava lidando com um monte de sectários firmemente engajados em restaurar o comunismo em toda a América do Sul! E quando soube que o Foro de São Paulo foi fundado em 1991 pelo Lula e pelo Fidel Castro, me senti um retardado que fincou o pé em acreditar em Papai Noel para sempre, uma besta quadrada, um imbecil passivo, um idiota útil durante esses anos todos, me dando ao luxo de ter esse desleixo ontológico, a posar de progressista no meio de uma turma que nunca foi nem será a minha.

E lá pelos idos de 2004, apesar de tantas amizades e camaradagem conquistadas, pulei fora.

Da indignação veio a curiosidade: por que esses caras roubam tanto com essa pinta de salvadores da pátria? Há alguma coisa que os difere de um Severino Cavalcanti, de um Renan Calheiros, de um Sarney, de um Maluf, muito embora sejam todos aliados ferrenhos? E como estava lá dentro, percebia uma improvável filtragem por parte da mídia que eu, até então, considerava inimiga do PT.

A partir de um determinado momento, uma atmosfera de militância, controle e nacionalismo chauvinista entra em cena. Na música, a MPB é ressuscitada através de subterfúgios postiços, novos elementos aparecem como sombras esquálidas dos velhos mestres, a grife "universitário" explode em todo o país proporcionando uma das piores manifestações musicais de todos os tempos.

As falcatruas mais escabrosas são expostas sem que haja algum tipo consistente de protesto, muito pelo contrário, os índices de aprovação ao governo só aumentam.

Parti do princípio de que um governo de esquerda, com índices de corrupção jamais obtidos na História de um país dos mais corruptos, com uma educação de resultados lamentáveis, assistencialismo em todas as áreas e, ao mesmo tempo, um orgulho, uma jactância, uma indulgência para com o autoengano de proporções alarmantes, só poderia se basear na ode à precariedade, ao mau-caratismo, à paralisia, ao "joão sem bracismo" macunaímico.

E nada nos explica melhor do que esses cânones.

Não possuímos melhor álibi: através do pior, nos convencemos ser os melhores. Ninguém em outra parte do globo teve a cara de pau de edificar uma tese na qual o menos gabaritado, o mais incapaz, é eleito de forma triunfal como um ser divinizado por sua absoluta falta de condição de competir com outras culturas, por sua displicente ausência de mérito. Tudo aqui é distribuição. Nada se conquista.

Como explicar essa leniência com as atrocidades em Cuba? Como explicar o horror do governo pela ditadura militar apoiando tantas outras muito mais sanguinolentas? A justiça é coisa de burguês e nós temos a vingança como justiça deles e um direito sonâmbulo para os aliados.

Tenho plena consciência de que tomar uma posição antiesquerda sendo um músico, em pleno Brasil, é uma atitude no mínimo imprudente, quando não suicida, devido à intensidade e truculência da patrulha. Mas querem saber de uma coisa? Foda-se a patrulha.

Uma sociedade que não prioriza o indivíduo está fadada a colecionar um bando de frouxos, pois o frouxo unido jamais será indivíduo.

Somos obrigados a admitir que estamos lidando com sociopatas que não possuem o menor senso de autocrítica e anseiam por aniquilar a convivência com oposições e qualquer tipo de adversário. Testemunhar esses absurdos em desfile e permanecer imune a qualquer autocrítica é uma prova definitiva de imbecilidade eterna, portanto prefiro ser uma humilde besta quadrada assumida, ainda com alguma chance de me tornar uma criatura melhor, a ser um imbecil eterno.

P.S.: E agora não me venham mais com cobrança de coerência histórica.

Uma pequena introdução ao próximo capítulo:

No próximo capítulo, vou fazer uma invasão ao *Manifesto antropófago* do Oswald de Andrade. Vocês poderiam me perguntar: mas por quê? Mas por quê?

E eu respondo.

Desde que fui introduzido no movimento da Semana de 1922 na escola, nunca consegui me identificar com aqueles conceitos de primitivismo, precariedade, preguiça, mau-caratismo, exotismo, antropofagia. Pensei que minha antipatia fosse advinda do fato de ser matéria de moral e cívica, uma aula que achava cafona e pouco genuína (estávamos em 1972 e o governo Médici transformou o cinquentenário do movimento num acontecimento onipresente em toda a vida nacional), mas fui percebendo que era algo mais profundo do que isso.

Pois bem, essa sensação pelo menos me moveu a dar um mergulho nas obras mais representativas do movimento para justamente decifrar o que estava faltando para, enfim, me render aos seus tão unânimes, consagrados e assimilados conceitos, que acabaram por se tornar nossa mais genuína representação de caráter, de arte e de identidade.

Eles podem não ter me emocionado da maneira que sempre esperei me emocionar, mas, ao menos, me inspiraram um *insight* bastante interessante, que seria a mola propulsora deste livro: por que não conseguimos nos livrar desses conceitos tão sem propósito, sedimentados na nossa alma, sacralizados em todas essas décadas?

Esse manifesto, publicado em 1928, acabou virando uma das pedras fundamentais do nosso pensamento e da nossa estética. E depois de ser coadjuvante do icônico *Macunaíma*, a partir dos anos 1960 tornou-se onipresente na cultura e no comportamento dos brasileiros.

Tenho certeza de que não iria perder o meu tempo gratuitamente — no duro trabalho que deu para, antes de tudo, ler grande parte da obra e da vida do Oswald e, logo em seguida, dissecar, decifrar, pesquisar, ler, reler, tresler todo o seu antológico e enigmático manifesto na íntegra — se essa peça da literatura tupiniquim (olha o manifesto aí) não tivesse uma presença incontestável na nossa maneira de viver, de pensar, de comer, de falar, de escrever e de se enxergar (ou não).

Esse manifesto nasceu no bojo do movimento homônimo criado por Oswald, junto com Raul Bopp e Alcântara Machado, e teve a participação de ilustres nomes da nossa poesia, literatura, jornalismo e artes plásticas. Foi inspirado nos *Manifestos do surrealismo* (André Breton, mesmo com o Oswald detratando o dito-cujo), no *Manifesto comunista* (Karl Marx e Friedrich Engels), no *Manifeste cannibale* (Francis Picabia), na descoberta do inconsciente e a teoria do totem/tabu (Freud), na questão do bom selvagem elaborada por filósofos franceses (Rousseau e Montaigne) e na teoria da barbárie tecnicizada (Hermann Keyserling).

Tinha como roteiro (Oswald amava roteiros) fazer renascer o primitivismo, os valores indígenas, o comunismo primevo, o matriarcado, a inocência do selvagem e a liberação dos instintos (mais) primitivos. Muitos conceitos na Europa foram devidamente "antropofagizados" pelo movimento, que sempre relutou em produzir "macaquices".

Quero ressaltar que acho a cultura indígena riquíssima e que a considero parte integrante da nossa civilização. O ponto em questão é querer incorporar um índio idealizado (e alienígena à formação dos nossos intelectuais, assim como à maioria da nossa sociedade) como sendo o "Bem" para reagir contra a cultura europeia (a do homem branco), o "Mal".

Contudo, o modernismo, com o intuito de quebrar todas as regras vigentes, romper com o academicismo da época e com a cultura lusitana/europeia, terminou por se fixar como a doutrina dominante e, desde então, passou a ser nossa cartilha de catequese, a nossa nova ortodoxia acadêmica, que vigora com mão de ferro até os dias de hoje. Seus conceitos estão presentes, incrustados no nosso imaginário coletivo, no nosso caráter, na nossa cultura, na nossa vida, sem a menor resistência, sem o menor constrangimento, sem sequer o mínimo questionamento, quando não com um absoluto e incondicional fervor religioso por esse acontecimento que marca nossa história e nossa psique de forma indelével.

Algumas vozes se insurgiram, ainda que prevalecesse uma observação de viés ideológico (seus maiores críticos, quase sempre mais à esquerda, acreditavam ser um movimento aburguesado, imitativo, superficial), mas foram sempre contestadas e caladas. Portanto, até agora não houve um grupo representativo de criaturas que se propusesse a engendrar uma nova estética, uma nova maneira de ser, livre dessa invariância contínua.

Enfim, nós, de forma um tanto anacrônica, ainda estamos a viver esses conceitos. E podemos afirmar sem a menor sombra de dúvida que o *Manifesto antropófago* é uma das suas fontes mais possantes, lado a lado com o romance do Mário de Andrade, o não menos antológico *Macunaíma* (o herói sem nenhum caráter), também publicado em 1928, que, por sinal, foi escrito a título de troça da nossa malandragem e da nossa indolência, mas acabou sendo seguido rigorosamente ao pé da letra por nossos intelectuais pósteros, quando inserido em nosso imaginário, sacramentando a nossa índole.

É muito interessante perceber que o concretismo, a literatura e o teatro brasileiros, a MPB, a Tropicália, o jornalismo, a sociologia, o Cinema Novo, as artes plásticas, a política, as relações entre as pessoas repetiram e repetem, levando tudo muito a sério, os motes desse manifesto: o nacionalismo como roteiro, a precariedade como bandeira, a preguiça como virtude, a ausência de caráter como esperteza, as frases evasivas como estilo, a antropofagia como vingança caraíba da Pátria em relação ao mundo civilizado e também como desculpa para se permitir copiar as ideias de outras culturas e sair por cima, cozinhando um inimigo comestível como álibi.

Tentarei, nessas próximas páginas, da maneira mais clara e agradável possível, criar uma espécie de diálogo, conversando com o Oswald (que é uma figuraça interessantíssima e por quem acabei nutrindo o maior carinho e admiração) e seu *Manifesto* para, assim, tentar entender alguma coisa do que se passava na cabeça do cacique-mor do movimento, seu contexto histórico e suas reverberações nos dias atuais, e decifrar sua personalidade brilhante, sua genialidade, sua linguagem cifrada, suas piadas, seus arroubos proféticos, seu ufanismo histriônico e seus paradoxos.

Questionarei por que intelectuais, artistas, escritores, cineastas, de uma forma ou de outra, vêm seguindo todos esses fundamentos esquisitíssimos e, aparentemente, imutáveis. Por que nossa sociedade engoliu e continua engolindo essa história toda?

Enfim, tentarei, de fato, entender por que a gente é assim.

Ao final do texto, haverá um glossário para elucidar alguns termos e personagens que não foram objetivamente abordados ou podem ter ficado obscuros para a compreensão do leitor.

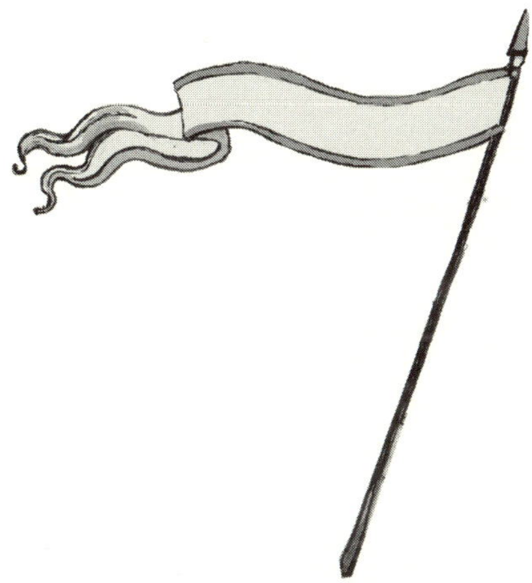

CAPÍTULO 8

A UTOPIA ANTROPOFÁGICA REVISITADA — Carta aberta de Lobão a Oswald de Andrade

Meu querido Oswald, lendo mesmerizado o seu poderoso *Manifesto antropófago*, me flagrei escrevinhando freneticamente nos espaços do livro uma série de perguntas e algumas discordâncias que acabaram por se transformar nessa carta, portanto, achei de bom alvitre colocá-las na ordem do próprio *Manifesto* para que você possa ter uma ideia das minhas dúvidas, do meu afeto, da minha atenção, respeito e ocasionais divergências. Sendo assim, para começar, eu gostaria muito de saber: por que cargas-d'água você define que "Só a ANTROPOFAGIA nos une.

Socialmente. Economicamente. Filosoficamente"?

Por quê? Por quê? Me perdoe, querido Oswald, ao mesmo tempo que só a antropofagia nos une na nossa miséria social, econômica, filosófica, moral, política, cultural, ela nos aparta de todas as possibilidades de crescimento vindas de nós mesmos e do resto do mundo.

Esse imperativo antropofágico não passa de uma desculpa esfarrapada a encobrir um clamor recalcado de um nacionalismo reativo. O canibalismo, como signo de deglutição crítica do outro, simplesmente nos amputará o próprio sentido crítico.

A antropofagia só nos uniu em torno de um ressentimento soberbo, sonso e velado.

Nos decretar antropófagos é uma maneira um tanto imbecil de ser brasileiro, uma afirmação que nos conduz a perpetuar a permanência de toda a nossa precariedade nacional, abdicando de qualquer preocupação em organizar uma sociedade que realmente funcione.

E quanto a... "Única lei do mundo. Expressão mascarada de todos os individualismos, de todos os coletivismos. De todas as religiões. De todos os tratados de paz..."

Única lei do mundo. Só isso?

Será que vamos passar toda a nossa existência alimentando nossa alma de um ressentimento inerme, mascarado por uma comunhão pseudo-onipotente e sacralizada de alegria, Carnaval e cinismo, como desforra?

Você não pode imaginar quantos idiotas dos mais variados sexos bradarão, inflados de paixão telúrica: "Tupi or not tupi, that is the question."

Só que, Tupi or not tupi, unfortunately, has nothing to do with the question, Oswald.

E aqui começa uma ladainha dos "contra": Contra todas as catequeses. E contra a mãe dos Gracos.

E a sua catequese? Ela é forte, pesada. O que farão dela?

Contra a mãe dos Gracos? Contra a moral e a virtude, atributos greco-romanos que ela simboliza? Essa falta de moral, de ética, essa ausência de anseio por virtude serão nossa marca registrada perante nós mesmos e o mundo. Pior para nós.

Oswald, receio te contar que essa deplorável declaração, totalmente incompatível com sua índole gentil... "Só me interessa o que não é meu. Lei do homem. Lei do antropófago", chancelará almas pósteras que desfrutarão, sem pestanejar, desse achado despropositado e deselegante, repletas de uma iluminação inadequadíssima.

Não seria mais interessante, mais simples, mais generoso e mais eficaz pensar: Só me interessa o que posso Ser, pois, se *a priori* não me interessa o que é meu, parte do que sou, como posso vir a ser alguém em sua plenitude através de um clamor secundário do que não tenho, almejando algo de outro alguém?

Tenho certeza de que se você estivesse por aqui nos dias de hoje não escolheria afirmar que... "Estamos fatigados de todos os maridos católicos suspeitosos postos em drama. Freud acabou com o enigma mulher e com os sustos da psicologia impressa..."

Só para atualizá-lo, o dr. Freud nunca conseguiu decifrar o enigma mulher. Nem ele, nem ninguém, e para piorar a situação, sua tese do inconsciente virou peça de museu.

A reação inflamada dos ofendidos utilizará das formas mais vis e obtusas sentenças como... "O que atropelava a verdade era a roupa, o impermeável entre o mundo interior e o mundo exterior. A reação contra o homem vestido. O cinema americano informará."

Sinto te dizer que o que atropela a verdade é outra verdade vestida de certeza absoluta, vestida de única lei do mundo, Oswald, pois a certeza da certeza faz o louco gritar. E como tem louco gritando certezas irreversíveis por aí.

E ficar pelado por ficar pelado não adianta; se tornou, ultimamente, uma prática um tanto banalizada. Hoje em dia, por qualquer coisinha as criaturas tiram a roupa e saem por aí balançando seus penduricalhos íntimos a protestar.

E essa brasilidade fake, afetada, aflita e desprovida de paralaxe? "Filhos do sol, mãe dos viventes. Encontrados e amados ferozmente, com toda a hipocrisia da saudade, pelos imigrados, pelos traficados e pelos *touristes*. No país da cobra grande..."

Hipocrisia da saudade é aquela que você tem da sua Oca de faz de conta, da sua Taba pra francês aplaudir na Sorbonne.

Amigo Oswald, a saudade é de um vazio de concreto armado, palpável, onde a solidão reverbera o eco infinito da nossa alma. Por que almejar ser amado com toda a hipocrisia da saudade? Saudade é coisa séria.

Quer saber de uma frase que ecoará através dos tempos como um vaticínio sombrio de um profeta que mirou no que viu e acertou no que não viu? Essa aqui: "Foi porque nunca tivemos gramáticas nem coleções de velhos vegetais. E nunca soubemos o que era urbano, suburbano, fronteiriço e continental.

Preguiçosos no mapa-múndi do Brasil. Uma consciência participante, uma rítmica religiosa."

Você tem razão, nossa gramática, geografia, matemática, leitura estão caindo aos pedaços. Somos um dos piores do mundo.

Consciência participante é um clichê que envaidece os preguiçosos no mapa-múndi do Brasil e os atola na ideologia da indolência, um verdadeiro botox da funcionalidade: por uma vaidade improvável, tudo se paralisa em nome da preguiça e só temos como resultado uma piora considerável na face combalida da realidade.

Consciência participante, só se for para combinar de sair em micareta ou linchar adversários ideológicos, e a rítmica religiosa que rola nos dias de hoje, Oswald, é aterrorizante, deprimente, pode acreditar. O que tem de picareta milionário fundando novas religiões e explorando a ignorância e a miséria alheias... ou religiosos honestos sendo defenestrados por fanáticos ateus.

E enxergar o Brasil como um mapa-múndi dentro do mundo só auxiliou o isolamento umbigocêntrico em que nos encontramos.

E uma sentença exclusora e xenófoba como: "Contra todos os importadores de consciência enlatada. A existência palpável da vida. E a mentalidade pré-lógica para o sr. Lévy-

-Bruhl estudar", cairá como uma luva nos corações e mentes dos recalcados e dos impotentes dos dias atuais.

Você está importando uma consciência que não é sua, de um mundo fora de você, querendo forçar a barra de se colocar como um índio imaginário, intocado pela civilização, num processo de esquartejamento da própria alma, do seu próprio Eu.

Essa preocupação em condenar importação e exportação de coisas abstratas como arte, poesia, consciência (mesmo enlatada) me assusta. Teremos como filhote dessa mentalidade o conceito de proteção de mercado, o intervencionismo estatal. Esse tipo de conceito gerará uma famigerada xenofobia, que arbitrará a favor de "coisas nossas", o que são e o que não são "coisas nossas" e que, simplesmente, nos condenará à mediocridade eterna.

Copiamos tudo fingindo que somos os reis da cocada preta, tirando essa onda furada de canibal e, por isso mesmo, não nos enturmamos nunca, já reparou?

No século XXI, haverá um sem-número de criaturas adotando sobrenomes indígenas em protestos duvidosos contra a vilania do homem branco, numa manifestação triste de piedade preconceituosa.

Sim, pois acreditamos que o indígena é uma alma primitiva "do Bem" e, pela lei, inimputável!, enquanto o homem branco, um espertalhão aproveitador "do Mal", sempre explora os silvícolas imaculados.

Quanto ao que você quis dizer a respeito da existência palpável da vida, sinceramente, até agora, depois de ler e reler o parágrafo algumas dezenas de vezes, eu te confesso humilde que não consegui entender se você é a favor ou contra a tal enigmática existência palpável da vida.

E na questão da mentalidade pré-lógica, intuo que você tentou sutilmente exibir ao leitor alguma coisa como única, primeva, inigualável, uma mentalidade pré-lógica tupi prevalecendo soberana sobre toda a civilização ocidental, para esfregar na cara de um sr. Lévy-Bruhl (um especialista em mente primitiva) varado de admiração antropológica, uma nova hegemonia planetária conquistada através de uma magia pindorâmica a esmagar todo o conhecimento ortodoxo racional do Ocidente. Seria isso? Ou não?

Tenho que admitir a você minha admiração pelo seu possante topete em elaborar algo como... "Queremos a Revolução Caraíba. Maior que a Revolução Francesa. A unificação de todas as revoltas eficazes na direção do homem. Sem nós a Europa não teria sequer a sua pobre declaração dos direitos do homem", flagrado numa ampla e total falta de desconfiômetro! "Sem nós, a Europa não teria sua pobre declaração dos direitos do homem" é demais, Oswald!

Revoltas eficazes? Depende do que você entende por eficazes. Mais eficaz que a Revolução Russa e os seus massacres de dezenas de milhões de judeus, ciganos, homossexuais e não simpatizantes do regime? Dos seus infames *gulags*?

Maior que a Revolução Francesa e seus Robespierres de plantão, bradando "liberté, égalité, fraternité" e executando sumariamente milhares de pessoas com suas decapitações voluptuosas, isso tudo para desaguar de forma patética num sangrento Império napoleônico?

Será que, no fundo, você quer mesmo é competir com a França, na posição de fã, usando exatamente os conceitos criados por eles, e faz questão de nos enxergar dessa maneira ridícula e fantasiosa, em especial, por conveniência?

Pensa bem, reagir aos males da cultura europeia, repudiar tudo o que o homem branco faz, insistindo em reinventar um ser exótico, *naïf*, primitivo, canibal, nos deixará sempre na retaguarda do mundo, vulneráveis, subjugáveis, apartados, e você entrou no jogo direitinho, como um aluno que vai entregar a maçã ao professor.

Será que, no fundo, você não está doido por uma aprovação de seus heróis, lá do outro lado do Atlântico, ávido por um beneplácito da matriz? Reverberante de um exacerbado entusiasmo por Rousseau e seu homem natural? Um fiel seguidor da visão de Montaigne, do selvagem puro, de arara no ombro, a acreditar que comer o outro seria menos cruel do que torturar e estraçalhar o corpo humano vivo "sob o pretexto de piedade e religião"?

Será que você não juntou toda essa informação na sua cabecinha e pariu um samba do pajé zureta?

Por isso a sua aversão à cópia. Pois, de forma um tanto (me perdoe pelo termo) desonesta, reativa, ornamental, oblíqua e insegura de si mesmo, você, dando uma de joão sem braço, emulando uma antropofagização canastrona, simplesmente copia tudo, Oswald.

O que, em outro tipo de circunstância, com um outro tipo de posicionamento, quem sabe um pouco mais humilde, honesto, preciso e generoso, com uma autoestima mais desenvolvida, seria algo muito natural, louvável e inteligente.

Afinal de contas, é através da mimese que a humanidade amplificou e continua amplificando todo o seu conhecimento. Com a vantagem de não precisar comer ninguém. Uma maneira meio obtusa de querer ser moderno, não acha?

Aliás, é assim que funciona todo o seu receituário: colocar um cocar/álibi de camuflagem na cabeça como salvo-conduto de acesso aos movimentos europeus do seu tempo e de outros também, convicto de que sua cenográfica originalidade o tornará genuíno, imune ao pastiche através de sua deglutição sacralizada e cabotina. Um raciocínio típico de malandro-agulha, que adora dar uma espetada, mas acaba sempre tomando no buraco. Lamento te informar, caro amigo, que a sua estrambólica Revolução Caraíba não passa duma declaração de amor às avessas proferida por um antropófago francófilo.

E "A idade de ouro anunciada pela América. A idade de ouro. E todas as *girls*"?

E como usufruir dessa idade de ouro anunciada? Como "importar" alguma tecnicidade para seu bárbaro vacante de iniciativa empreendedora? Pegando carona em seu progresso através de uma incrível pajelança e da magia do ziriguidum? E todas as *girls*, de preferência, na sua *garçonnière*.

Em um átimo filosobólico/poético,você não estaria a arquitetar uma Pindorama francófila ao proferir que a "Filiação. O contato com o Brasil Caraíba. *Ori Villegaignon print terre*. Montaigne. O homem natural. Rousseau. Da Revolução Francesa ao Romantismo, à Revolução Bolchevista, à

Revolução Surrealista e ao bárbaro tecnizado de Keyserling. Caminhamos"?

Não sei, não, mas nem sempre as sínteses acabam funcionando, Oswald. A síntese é boa quando auxilia o entendimento, englobando o significado de várias coisas, o que não é definitivamente o caso. O contato com o Brasil Caraíba, amigo, posso te afirmar, nem no terreiro do cacique Pena Branca.

E como diria o próprio Keyserling: "Não se pode conseguir nenhum progresso verdadeiro querendo facilitar as coisas." E é justamente o que mais acontece por aqui.

E para te dar uma dica bacana, um bárbaro tecnicizado, pra mim, é um cara tocando roquenrou, amigo, e no volume onze!

Será que, com esse tipo de frase de efeito com a qual você está prestes a nos brindar em seguida, acabaremos por experimentar e potencializar o nosso naufrágio moral e existencial, num desfile de cacoetes de vaidade desprovidos da menor razoabilidade ou merecimento?... "Nunca fomos catequizados. Vivemos através de um direito sonâmbulo. Fizemos Cristo nascer na Bahia. Ou em Belém do Pará."

E eu te respondo: Fomos, sim, Oswald. E como. Não tape o sol com essa peneira furada, irmão. Pois é com essa sua entusiasmada negligência patriótica que, sem perceber as catequeses escancaradas, viemos a parir monstruosidades religiosas, prenhes de farsantes, reacionários e picaretas.

Quanto ao direito, sim, temos um direito realmente sonâmbulo. Julga dormindo, e ao despertar profere "Esperemos o acórdão. Julguei, mas não fui eu!", para acabar absolvendo aquele que se defende com o clássico "Não sabia de nada! Peidei, mas não fui eu!".

Direito sonâmbulo, lerdo, injusto e cínico.

E o desastre em vislumbrar com um desatento deleite que "nunca admitimos o nascimento da lógica entre nós"?

Tanto pior para nós. Por isso a falta de honestidade e clareza em nossos arbítrios e argumentações. Só com delírio não chegaremos a lugar algum.

Seria chique dizer: "Contra o padre Vieira. Autor do nosso primeiro empréstimo, para ganhar comissão. O rei-analfabeto dissera-lhe: ponha isso no papel, mas sem muita lábia"?

Coitado do padre Vieira, Oswald, você e sua lusofobia que nos apartará de Portugal por ser... reacionário escrever de "forma culta" o português.

Teimaremos em escrever a "língua do povo", esquecendo que esse povo não lê absolutamente nada. Renegaremos a cultura europeia, seus poetas e seus romancistas, seus filósofos, seus cientistas, patrocinando um atraso de mais de quarenta anos em relação ao mundo civilizado...

Mas, se assim você o sentencia, será ele, nosso glorioso padre Antônio Vieira, o *pole position* entre milhões de prevaricadores, amigo. O Brasil se firmará como o país do jabá, da propina, do mensalão, do caixa 2, da festa com o dinheiro público. Viveremos numa cleptocracia. E com um dos impostos mais escorchantes do mundo. E sem retorno algum. Tudo isso escancarado, explícito, na nossa cara! E nós?

Nós continuaremos a rebolar sorrindo, alegres, do jeito que você acha bacana. Nada anda por aqui sem um dinheirinho por debaixo do pano ou por dentro da cueca, irmão. Com essa obsessão mórbida de se apartar da cultura portuguesa e europeia, você fala como se fosse um cacique de verdade, um Oswald Guarani-Kaiowá de Andrade, vislumbrando altaneiro os horizontes varonis de uma pátria que, em sua triste atualidade de século XXI, está completamente falida de caráter, de saúde, de educação e de infraestrutura. No entanto, você aí, em meados do século XX, está mais para um índio de butique, para um guri criado pela avó, de penacho Chanel em riste, fazendo manha para ser levado à matinê do baile de Carnaval do Clube Pinheiros.

Por pura culpa, se investe do que considera ser sua própria vítima, idealizando-a, encarnando-a, incorporando-a, canibalizando-a.

Você não está comendo bispos Sardinhas ao luar, Oswald. Você está simplesmente vampirizando uma realidade alienígena, falsificando seu verdadeiro Ser.

E o lampejo prototropicalista de que "Só podemos atender ao mundo orecular"?

E por que não atender ao mundo com todos os sentidos?

Então oremos por toda a nossa miséria imagética de nós mesmos. Fixada como dogma irrevogável e sacralizado, por séculos e séculos, amém. E ai de quem piar contra.

É terrível constatar que a cretinice endêmica de centenas de milhares de antas por metro quadrado explodirá de rancor apaixonado quando vierem a bradar repletos de pequenez subdesenvolvida esse seu desatino romântico, de que... "Tínhamos a justiça codificação da vingança. A ciência codificação da Magia. Antropofagia. A transformação permanente do Tabu em totem."

E você acha bonito imaginar ou conceber uma justiça codificada em vingança? A herança dessa excentricidade retórica nos cobrará muitos desastres.

A magia codificada da ciência é a de coçar ritualisticamente o saco ignorando o resto do mundo, nos hipnotizando, nos induzindo a alimentar essa manifestação patética de nacionalismo chauvinista subscrita pela propaganda oficial e pela ideologia do governo.

Tabu em totem seria uma heráldica retrô na representação do tabu? Realmente, é um conceito fundamental para a dinâmica da nossa paralisia.

Olha, é duro ter que te dizer isso, mas, para quem almeja arquitetar uma nova potência cultural no cenário do mapa-múndi, gastar seu precioso tempo imaginando obsessivamente tabus, totens e caldeirões repletos de inimigos sagrados e devidamente cozidos, me perdoe, Oswald, é, no mínimo, lastimável.

Com essa lenga-lenga, até este exato momento jamais ganhamos um Nobel de Literatura ou de qualquer outra disciplina.

E o mais grave disso tudo é que esse festival de revanches conceituais vai fazer brotar um número assustador de antas, cavalgaduras e picaretas formidáveis nas nossas hostes de artistas, poetas, estudantes e intelectuais, que o seguirão fervorosamente, sem o menor questionamento, sem um pingo sequer de desconforto ou constrangimento dessas barbaridades.

Todo o nosso imaginário ficará infestado por essa lambança ontológica até os dias de hoje, querido amigo.

A essa altura do *Manifesto*, nós constatamos outra sentença reativa, paralisante e piegas do tipo: "Contra o mundo reversível e as ideias objetivadas. Cadaverizadas. O *stop* do pensamento que é dinâmico. O indivíduo vítima do sistema. Fonte das injustiças clássicas. Das injustiças românticas.

E o esquecimento das conquistas interiores."

E você acha inteligente ansiar por um mundo irreversível?

Contra os idiotas da objetividade, tudo bem, mas ideias objetivadas, em si, podem formar planos, metas, fazer a gente começar a crescer e andar com as próprias pernas, tornar os roteiros viáveis, factíveis, concretos.

Vítima do sistema: aí está uma pieguice autocomiserada que se tornou o nosso *modus inoperandi*.

Quanto ao restante do que você pretendeu dizer, ou não, irá desembestar uma gama de sujeitos a falar e a escrever igualzinho a você e um sem-número de toupeiras a aplaudir, dissimulando entender algo que possui muito pouco a ser entendido.

E ansiar por "Roteiros. Roteiros. Roteiros. Roteiros. Roteiros. Roteiros. Roteiros"?

— E depois?

E o que dizer de... "O instinto Caraíba"?

— Instinto Caraíba de quem, cara-pálida? (Me perdoe a infame piada.)

Oswald, essa aqui tem uma pegada que os tropicalistas irão morrer de inveja! "Morte e vida das hipóteses. Da equação *eu* parte do *Cosmos* ao axioma *Cosmos* parte do *eu*. Subsistência. Conhecimento. Antropofagia." É de uma cosmicidade luminescente!

Subsistência é forte... não seria melhor almejar a superexistência?

Não deve ser muito confortável nem, muito menos, confiável lidar com uma nação que tem a antropofagia como símbolo de sua cultura/civilização, não acha? Deve ser interessante imaginar as relações internacionais de uma diplomacia de antropófagos com o resto do mundo...

Não sei, não, já que você gosta tanto de sínteses, frases soltas, mais parecendo *riffs*, do tipo dessas: "Morte e vida das hipóteses...", "Da equação *eu* parte do *Cosmos* ao axioma *Cosmos* parte do *eu*", acho que você se tornaria mais claro e menos pedante fazendo um bom roquenrou, que é síntese pura.

Tenho certeza de que, depois dessa experiência, você iria querer jogar essa baboseira pernóstica toda fora, Oswald. Isso faz mal à saúde mental e física.

Tu tens verve, sangue no olho e calor no coração. Está mais do que na cara que, por trás desse histrião iracundo, és um homem cheio de bondade, uma doce criatura, um delicado, um gozador, um meigo. Agora só falta começar a pensar com mais clareza, menos rancor e menos presepada retórica de significado duvidoso. Deixe isso para seus fiéis e crédulos seguidores, que esses não têm lá muito jeito mesmo...

E lá vamos nós embarcando em mais um... contra! "Contra as elites vegetais. Em comunicação com o solo"...

Elite vegetal, nos dias de hoje, Oswald, está mais para o Greenpeace e para o PV. Rola uma clorofilocracia bem próxima a um fascismo verde em todos os quadrantes do mundo.

Elites vegetais, no seu caso, são elites que buscam se basear na cultura europeia. Esse tipo de sentimento originará o tal do multiculturalismo, que é uma espécie de compartimentação da cultura, impossibilitando a troca entre elas. Esse umbigocentrismo excludente, que na sua época já era uma péssima escolha, irá gerar um exército de fundamentalistas obtusos. Não seria mais interessante a cultura brasileira assumir sua vocação interculturalista, aglutinadora e ter realmente um papel de real importância no cenário mundial? Deixar esse folclore restritivo, primitivoide, multiculturalista e reativo para lá? Não seria melhor ansiarmos por uma participação mais universal e um maior acesso a outras culturas? Uma integração real com as mais variadas civilizações?

Poderemos adiantar, sem sombra de dúvida, que uma afirmação como a próxima será o filé-mignon dos idiotas da subjetividade, o cavalo de batalha de um sem-número de salafrários intelectuais! “Nunca fomos catequizados. Fizemos foi o Carnaval. O índio vestido de senador do Império. Fingindo de Pitt. Ou figurando nas óperas de Alencar cheio de bons sentimentos portugueses.”

E agora você quer um branco, pelado, se fingindo de canibal, figurando numa peça do Zé Celso no Teatro Oficina, cheio de sentimentos pseudolibertários, querendo comer Caetano?

Carnaval... Por sinal a gente só fez Carnaval até hoje. E essa monomania de festividade histérica, que tanto nos caracteriza, não tem dado resultados muito satisfatórios há muitos Carnavais, amigo. Muito embora a grande maioria dos nossos pensadores, cegos à realidade brutal que nos assola, se ufane e defenda com unhas e dentes esse estranho comportamento, essa ditadura da alegria por nós praticada e cultuada.

Bem que poderíamos focar nossas energias em coisas mais interessantes e ambiciosas do que essa obsessão pela carnavalidade como epicentro de nossa percepção do cosmos.

Agora, quanto à catequese, nós somos o país da catequese, da cartilha, do panfleto. Sempre fomos catequizados por qualquer coisa e subservientes a qualquer um. O povo mais crédulo e fácil de se manipular do mundo. O paraíso de qualquer marqueteiro.

Até tu, Oswald, na tua sanha em não seres o que és, para tentares ser o que nunca foste, entraste nessa através de uma esquizoide cartilha francotupinambática: tu já viste algum cacique Andrade? Cacique Prado? Cacique Salgado? Cacique Almeida? Acorda, amigo.

É com pesar que sou obrigado a te informar que fazer esse tipo de analogia explicando que "Já tínhamos o comunismo. Já tínhamos a língua surrealista. A idade de ouro.

Catiti Catiti

Imara Notiá

Notiá Imara

Ipeju", é uma infeliz mistura de cafonice, credulidade *naïf* e cabotinismo.

Vou te contar uma passagem que acaba de vez com essa lorota: tem uma cena clássica de um filme americano do final do século XX, *Indiana Jones e os caçadores da arca perdida*, quando ele, o herói, se depara com um ser hostil, um ser exótico, um tuaregue furibundo, que começa a fazer circunvoluções corporais ameaçadoras com uma cimitarra cortando o ar, e o nosso Indiana, fleumaticamente, saca do revólver e BANG! Fim de papo.

Esse é o seu caso. Idade de ouro, não. Idade da Pedra. IDADE DA PEDRA!

Modernismo de marcha a ré, Oswald!

Escolher esse caminho é assinar nossa sentença de morte. A natureza não elege vulneráveis.

Essa rapaziada que você tanto idealiza embevecido, esse silvícola comunista de linguagem surreal cósmica idealizado por você não tinha sequer inventado a roda, Oswald. VAMOS PARA O ESPAÇO!

E o que dizer de: "A magia e a vida. Tínhamos a relação e a distribuição dos bens físicos, dos bens morais, dos bens dignários. E sabíamos transpor o mistério e a morte com o auxílio de algumas formas gramaticais"?

A única magia que rola por aqui é aquela que faz desaparecer o fruto do suor do nosso trabalho direto para os bolsos daqueles que elegemos e para suas quadrilhas. Distribuição dos bens físicos? Bens físicos deveriam ser conquistados por seu merecimento e não através de distribuição. Mais um hábito a ser perpetuado por aqui com a distribuição de bolsas, vales, cotas, cargos de confiança e propinas.

Achar que sabíamos transpor o mistério e a morte em algum momento da História ou da Pré-História é, no mínimo, insano; ainda mais sob os auspícios pífios de formas gramaticais. É preciso nos exigir muito, mas muito mais para chegarmos a algum lugar. E a gente nem sequer saiu da largada.

Nós vivemos queimando largadas, amigo.

Quando você confessou que: "Perguntou a um homem o que era o Direito. Ele te respondeu que era a garantia do exercício da possibilidade. Esse homem chamava-se Galli Mathias. Comeu-o." Enrubesci.

É o tipo do assunto que você poderia manter em seu foro íntimo, Oswald.

Ao colocar o insight "Só não há determinismo onde há o mistério. Mas que temos nós com isso?", seremos forçados a concluir que...

Nós nunca temos nada a ver com nada, inclusive com o significado das coisas, querido amigo. Com essa mentalidade, você só vai incrementar um obscurantismo cheio de retórica excludente e nebulosa para confeccionar uma cenografia de um mistério piegas, cínico, pouco corajoso e sinistramente determinista: seremos pseudossilvícolas, culpados por sermos o que não conseguimos admitir ser, preguiçosos soberbos e incompetentes para sempre.

Na obsessão em se apartar da história da civilização ocidental manifestada em mais um "Contra as histórias do homem que começam no Cabo Finisterra. O mundo não datado. Não rubricado. Sem Napoleão. Sem César", eu perguntaria:

Por que não incluir tudo o que possa ser conhecimento, tudo que valha a pena, sem essas muletas lambuzadas de bílis?

Alinhavando "A fixação do progresso por meio de catálogos e aparelhos de televisão. Só a maquinaria. E os transfusores de sangue", eu diria que:

Progresso não se fixa, Oswald, se conquista, e não deve ser temido, muito menos desprezado.

E por que "Contra as sublimações antagônicas. Trazidas nas caravelas"?

Vou tentar passar essa sua frase para algo mais proativo: a favor das sublimações das compatibilidades entre todos nós, seres de boa vontade, compatibilidades que levaremos, livres de todo o ódio, em nossas naves espaciais.

Nós também fomos trazidos pelas caravelas. Estamos todos juntos e misturados nas galés, nas senzalas e nas matas. Não existe um só brasileiro vivo, incluso em nossa sociedade, que possa afirmar alguma pureza étnica, Oswald. Ainda bem. Não podemos exorcizar os crimes de gerações que nos precederam através de um simplório e inócuo automartírio.

Temos, sim, que resolver nossos problemas, retardamentos, desastres e paralisias de maneira incisiva, através do conhecimento, da vontade e do esclarecimento, e, se possível, o quanto antes. Não temos mais tempo para ações inconsequentes, folclóricas e rancorosas.

Sendo assim, e por isso mesmo, não podemos esquecer que somos indivíduos e respondemos pelos nossos atos, nunca pelos atos de quem quer que seja. Não adianta sair por aí de tanga para nos eximir de uma culpa que não é nossa. Vamos incluir, Oswald, e VAMOS PARA O ESPAÇO!

E, quando você desfere uma pérola tonitruante como essa, mais uma vez a insistir... "Contra a verdade dos povos missionários, definida pela sagacidade de um antropófago, o visconde de Cairu: — É mentira muitas vezes repetida"?

A pergunta que não que calar é: E por acaso, antropófago lá tem alguma condição de ser sagaz? O antropófago por hobby, por crença, por adesão, por metáfora, por patologia ou por recalque é a mais miserável condição de qualquer ser, querido Oswald. Se fosse sagaz, não optaria por ser antropófago. É inadmissível a prática da antropofagia por opção ou por ser fashion. Só em último caso de sobrevivência ou, na melhor das hipóteses, como simbologia litúrgica, o que, ao que tudo indica, não é o seu caso.

A "mentira muitas vezes repetida"... deglutindo Goebbels até sua antropofagia virar verdade?

Se você soubesse quantos cretinos fundamentais regurgitarão (uma metáfora digestiva em sua homenagem) por aí, convictos e contritos, essas atrocidades como verdades sagradas para, convenientemente, mascarar a própria imbecilidade...

Não seria uma espécie de fuga de responsabilidade e culpa de burguês acomunistado afirmar que "não foram cruzados que vieram. Foram fugitivos de uma civilização que estamos comendo, porque somos fortes e vingativos como o Jabuti"?

Fugitivos de uma civilização que estamos comendo é ótimo! Cruzado ou fugitivo, nesse caso não faz a menor diferença. Eles, querendo ou não, somos nós. Isso é autofagia! E, ao contrário do que você pensa, estamos longe de ser algo próximo de fortes, Oswald. Amarelamos com assustadora constância. Aí a vingança se transforma em rancor.

Você não vai chegar a lugar algum querendo infantilmente fugir dos fantasmas desses fugitivos se emperiquitando de plumas e cocares de araque, como uma peruca na cabeça de um careca (o único a não se tocar da própria peruquice) e, ainda por cima, ao importar o rancor do pobre Jabuti, correr o risco de acabar por adotar sua estonteante velocidade como legado existencial que se transformará em norma de conduta e dinâmica dos seus crédulos e fiéis seguidores.

Ou seja, um Brasil pindoramizado, devagar, quase parando... E almejar um purismo autóctone é pouco inteligente, um tanto esquizofrênico e bastante nazistoide. Não é a sua cara, Oswald.

Ao condicionar "Se Deus é a consciência do Universo Incriado, Guaraci é a mãe dos viventes. Jaci é a mãe dos vegetais", eu te digo uma coisa, Oswald: nacionalizar divindade a essa altura do campeonato é de última, irmão. E lá vamos nós enfrentar aquela ladainha demagógica de deusas matriarcas... e índias. Não faltarão histéricos a bradar essas babaquices por aí, numa epidemia de fervor fundamentalista tupi e canalhice oportunista por todo o território nacional.

E envaidecer-se por acreditar que "Não tivemos especulação. Mas tínhamos adivinhação. Tínhamos Política, que é a ciência da distribuição. E um sistema social-planetário", fornecerá um profundo lastro para o ideário rastaquero/comunistoide...

Hoje em dia, somos pura especulação, Oswald. Sistema social planetário? Hegemonia de sua lei única do mundo? Mau negócio. Adivinhação? Você quer dizer orelhada? Ciência da distribuição? Distribuição de quê? De favores? De pastas ministeriais? Assistencialismo?

Além do mais, esses argumentos alucinados, na primeira pessoa do plural, incitarão uma plêiade de asnos vindouros, entusiastas maníacos, bem-intencionados, no entanto impotentes em sua mornice comportamental, passadistas (pois é, quem diria?), todos à procura da adivinhação fácil, de um sistema social planetário comunistoide, de uma pureza de raiz piegas. Transformando a sua visão vanguardista em retardamento social, mental e acadêmico.

O mesmo metabolismo de sempre (outra metáfora digestiva, em sua homenagem). Todos à procura do canto do sabiá-preguiça, da magia, da orelhada, do joão-sem-bracismo, à procura idiota e falsa de uma linha evolutiva da música, das artes plásticas, da literatura: "Meu pai era paulista, o meu avô pernambucano..." Idealizando o brasileiro castiço, puro, não contaminado (como se isso fosse possível), entoando odes a uma desencavada metarraça superior, suas características exclusivas dos eleitos por um destino mágico e outros tantos milhares de atrocidadezinhas mais, Oswald.

"De William James e Voronoff. A transfiguração do Tabu em totem." Seria uma construção de um álibi para sua poética perversão obsessivo/antropofágica?

E eu emendaria concluindo: o totem em dogma. Querendo se livrar de um academicismo, sem perceber (e, quero acreditar, sem querer), criaste um outro bem mais tenaz, tacanho e duradouro. Uma boa parte de intelectuais e artistas brasileiros peca por pusilanimidade, por falta de ousadia, e sempre está à cata de um corrimão conceitual pelo qual se guiar. Não largam dele nem que a vaca tussa. Se cagam de medo de errar ou de perder suas miseráveis posições no *métier* ou nos subsídios pouco decorosos da lei de incentivo à cultura. Estamos nessa besteirada há noventa anos. Sem nenhuma relevante contestação de algum grupo significativo. Quem se levantou sozinho foi devidamente evaporado.

Oswald, você não imagina que esse temerário espírito libertário de desconstrução moral embutida em "O *pater familias* e a criação da Moral da Cegonha: Ignorância real das coisas + falta de imaginação + sentimento de autoridade ante a prole curiosa" poderá acarretar!

Essa moral está bem estragadinha, viu? A cegonha, hoje em dia, não está muito em voga. Creio que quase mais ninguém sabe que se usava a historinha da cegonha que trazia os bebês para a mamãe quando engravidava... Atualmente, o barato é transformar as menininhas em miniputas no vestir, no maquiar e no dançar, acelerando, inclusive, o processo de menstruação das pobres, Oswald. Uma loucura!

Fecho com você em relação à ignorância real das coisas. Hoje em dia, você sabia que a média anual de leitura do brasileiro universitário é de menos de um livro por ano? E que 90% desse ínfimo número são livros de autoajuda ou doutrinas fajutas da esquerda?

E nós, em estado de graça, a sambar na maior felicidade, num rebolado febril, improvável, inexplicável, indesculpável, nas praças, nas avenidas, nos botequins.

Quando você diz que... "É preciso partir de um profundo ateísmo para se chegar à ideia de Deus. Mas o Caraíba não precisava. Porque tinha Guaraci", estaria tropicalizando o ateísmo ou não?

Parabéns para o Caraíba. Nem eu, nem você, nem o resto da população, na real mesmo, conseguiríamos, com toda a honestidade, a alteridade necessária para penetrar numa realidade caraíbica. Agora, sejamos mais humildes e deixemos afirmações delirantes de lado.

Crente por crente, o ateu é um crente do Nada, e o Nada é Deus de ninguém, portanto não permitirá quem quer que seja a ter alguma vaga ideia de Deus e, com todo o respeito, fodam-se o Caraíba e a pobre Guaraci, Oswald. Não dá para viver nem pensar de marcha a ré.

Se a vida tem algum sentido, este é para cima e para a frente.

E ao ouvir uma frase como "O objetivo criado reage como os Anjos da Queda. Depois Moisés divaga. Que temos nós com isso?", te peço perdão pelo pito, mas...

Oswald, chega de ser palerma!

Alguém de razoável inteligência não ficaria constrangido em perceber que um cara esperto e vivaz como você foi capaz de proferir semelhante estultice: "Antes de os portugueses descobrirem o Brasil, o Brasil tinha descoberto a felicidade"?

E você, eu e a esmagadora maioria dos brasileiros que aqui habitam simplesmente não existiriam. O Brasil sem os portugueses teria descoberto a felicidade, o coelhinho da Páscoa, o saci-pererê, o Bozo e o Papai Noel, Oswald.

E lá vamos nós, mais uma vez encarar o bloco do contra! "Contra o índio de tocheiro. O índio filho de Maria, afilhado de Catarina de Médicis e genro de d. Antônio de Mariz."

Ressentimento não é exatamente vingança. Ou pior, uma vingança impotente, atolada na impotência da impotência.

Querendo ser contra o índio de tocheiro, você está tentando, de novo, exaltar a pureza do indígena intacto.

Indígena, hoje em dia, usa calção Adidas, camisa de futebol e relógio de pulso, além do cocar, e deveria ser um cidadão comum, sair daquelas reservas miseráveis que antropólogos em toda a sua estupidez ideológica teimaram por transformar em museu com gente viva dentro.

O índio, na verdade, está louco para poder estudar, estudar em faculdade, gerar riquezas e poder ser preso se ferir o código penal. Ser um subcidadão protegido pelo Estado é um tipo de piedade inadmissível.

A Catarina de Médicis, por pior que tenha sido, que ironia!, pelo menos inventou os talheres.

Querido Oswald, mais uma vez eu insisto: com essa mania, você vai propiciar que grandes nomes da nossa terra divaguem por essas obscuras plagas conceituais do rancor messiânico, e haverá criaturas das mais variadas origens proferindo absurdos do tipo: "Seremos uma Roma lavada em sangue negro e índio!" Anti-imperialistas, nas suas reluzentes caras de pau, almejando ser um grande império, pacifistas e progressistas, em um despudorado delírio cívico, ansiando por vingança e separação.

A falta de rigor em nossa autopercepção, na percepção do mundo, do universo, resulta numa visão de parâmetros completamente arbitrários, passionais, delirantes e parciais.

Não poderíamos nos dar ao luxo de semelhante indulgência. A História nos cobrará um ônus monumentalmente trágico.

Querido Oswald,com essa célebre frase, esse verdadeiro mantra: "A alegria é a prova dos nove", você não sente lá no fundo que acabará dando munição para uma plêiade de boçais jactarem-se das mais cínicas e procrastinantes reivindicações?

Contudo, haveremos de constatar que alegria sem motivo é um triste resultado dessa prova dos nove. Nós deveríamos nos ater ao simples fato de haver ou não motivo para estarmos alegres. Agora, alegria, alegria, não, né? Alegria comendo cocô é triste! Senão, noves fora, um bobo alegre.

Ansiar por um matriarcado de Pindorama não seria um singelo equívoco, Oswald?

O matriarcado, como dizia Chesterton, é uma espécie de anarquia moral em que a mãe permanece fixa, sozinha, porque os pais são fujões e irresponsáveis. É muito mais uma precariedade de hábitos, uma fraqueza de caráter, do que propriamente uma opção, Oswald.

Reagir, reagir, reagir?... "Contra a Memória fonte do costume. A experiência pessoal renovada."

E viva o quê? A Amnésia? O Esquecimento? A experiência pessoal pode se renovar sem precisar aniquilar a experiência precedente. Muito pelo contrário: uma mente de razoável inteligência só tende a se fortalecer ao ter uma experiência pessoal renovada, principalmente, por usufruir de uma boa relação com a fonte do costume, a Memória.

Concretar a esmo jactando-se de que "Somos concretistas. As ideias tomam conta, reagem, queimam gente nas praças públicas. Suprimamos as ideias e as outras paralisias. Pelos roteiros. Acreditar nos sinais, acreditar nos instrumentos e nas estrelas", não seria, no mínimo, um pensamento raquítico?

Mas tem concretista concretando até os dias de hoje com ares de vanguarda, Oswald. E cagando uma goma que vou te contar.

Suprimir ideia é mau negócio. Ideia não é ideologia, portanto ideia alguma é capaz de queimar ninguém em praça pública. As ideologias é que costumam fazer isso. A sua, por exemplo, não queima pessoas na praça pública, mas cozinha inimigos sacralizados em caldeirões na floresta, e ainda por cima os come.

E a paralisia, lamentavelmente, é a especialidade da casa, essa, sim, impossível de suprimir. Te garanto.

E que tal mais um "Contra Goethe, a mãe dos Gracos e a Corte de d. João VI"?

Tudo bem quanto à corte do d. João VI e sua lamentável trajetória. Mas, sem ela, fatalmente estaríamos bem pior. E lá vem você encrencando com a Cornélia outra vez só porque ela parece feliz e satisfeita em ser uma mãe exemplar no seu estilão greco-romano? Contra o Goethe? Bem, seria porque, simplesmente, Goethe detestava preguiçosos?

Te confesso que me dá uma certa melancolia intuir um mergulho seu numa ladainha pós-barroca/psicodélica/psicanalítica/stalinista, n'"A luta entre o que se chamaria Incriado e a Criatura — ilustrada pela contradição permanente do homem e o seu Tabu. O amor cotidiano e o *modus vivendi* capitalista.

Antropofagia. Absorção do inimigo sacro. Para transformá-lo em totem. A humana aventura. A terrena finalidade. Porém, só as puras elites conseguiram realizar a antropofagia carnal, que traz em si o mais alto sentido da vida e evita todos os males identificados por Freud, males catequistas.

O que se dá não é uma sublimação do instinto sexual. É a escala termométrica do instinto antropofágico. De carnal, ele se torna eletivo e cria a amizade. Afetivo, o amor. Especulativo, a ciência. Desvia-se e transfere-se. Chegamos ao aviltamento. A baixa antropofagia aglomerada nos pecados de catecismo — a inveja, a usura, a calúnia, o assassinato.

Peste dos chamados povos cultos e cristianizados, é contra ela que estamos agindo."

...Não sei, não, mas acho que você está procurando o dionisíaco na cumbuca errada. Vamos ser mais honestos e claros e constatar que ninguém aqui acredita em sacralizar inimigo algum. Isso é um ponto fundamental.

É muito mais um pretexto para odiar, copiar, eliminar, negar, trapacear, excluir, invejar através de uma tese absolutamente estrambólica, sonsa e malandro-agúlhica.

Teorizar sobre a sacralização da antropofagia para assegurar um passaporte para um neolítico tecnopop não está com nada, meu amigo. Sinto te informar, mas a absorção do inimigo sacro simplesmente o transformará, em poucas horas, através do seu tabu antropofágico, num totem prosaico e malcheiroso, Oswald.

Males catequistas, o seu discurso é fundamentalmente catequista.

Discurso esse que, sinto muito te dizer, virá a causar inúmeros males como esses aqui perfilados, voluptuosos e impressos em nossa conduta, nossa cultura e nossa maneira de ser.

Ser contra povos cultos e cristianizados, em prol de uma suposta esperteza retrô/*exotique*, não será, definitivamente, uma atitude inteligente. Esse tipo de reação nos deixará mais ilhados, mais obtusos, mais autistas culturais e muito mais atrasados do que sempre fomos.

Creio que você se precipita apaixonado de mais e rigoroso de menos em conceitos confusos e descompensados, querido amigo. A cultura indígena é linda, mas não é possível retroceder a roda da civilização para chegarmos a um lugar em que nem roda havia e de que na verdade, psiquicamente, nos recusamos a sair, sob a égide da culpa e do orgulho nascido do recalque e da covardia. Não será dessa forma que conseguiremos nos enxergar de verdade.

Não será eficaz nem muito bonito querer se "apropriar" de uma maneira de viver que nunca foi sua, incorporá-la e utilizá-la para engendrar uma revolução de araque e renegar qualquer influência da sua própria essência, europeia, portuguesa e ponto, queira você ou não. Convivamos naturalmente e em harmonia com todas as nossas matrizes: a negra, a branca e a índia. São todas nossas, sendo assim, desfrutemos delas com todos os seus defeitos e virtudes, pois todas nos são necessárias, dignas do nosso afeto, e excluir alguma delas só nos fará menores.

Essa obsessão em excluir para purificar jamais será uma solução (ainda bem). A Solução Final do Hitler é filha dessa mesma obsessão, desse mesmo fascínio obtuso. Se você tivesse um pouco mais de tempo, estou certo de que seria o primeiro a fazer uma autocrítica e clamaria por novos rumos, novos acontecimentos, novos horizontes, novas estéticas, para nos livrarmos de vez dessa tremenda fanfarronada oligofrênica que grudou no nosso imaginário.

E aí vem o onipresente contra!... "Contra Anchieta cantando as 11 mil virgens no céu, na terra de Iracema — o patriarca João Ramalho fundador de São Paulo"!

Contra, contra, contra, contra. Eu contei explícitos 15 "contras" no seu manifesto! Acho que você não se deu conta, querido Oswald, mas está sofrendo de um recalque eliminatório de proporções pindorâmicas.

Mais uma dose de lusofobia com: "A nossa independência ainda não foi proclamada. Frase típica de d. João VI: — Meu filho, põe essa coroa na tua cabeça antes que algum aventureiro o faça! Expulsamos a dinastia. É preciso expulsar o espírito bragantino, as ordenações e o rapé de Maria da Fonte"?

Trocando em miúdos, Oswald, te garanto que estamos numa merda de fazer gosto. Pode acreditar. Mesmo sem o espírito bragantino, sem rapé ou ordenação, seja lá de quem for. Mesmo nossa economia conquistando um lugar de destaque no mundo, jamais abandonamos a precariedade, a corrupção, pesos e medidas arbitrários, a breguice, a incompetência, o assistencialismo, o nepotismo, o peculato, a demagogia, o simplismo, o coronelato com os mesmos coronéis de sempre e alguns outros tantos engrossando o cordão de bandidos no poder, a péssima educação, a total falta de seriedade e a eterna procrastinação.

Ainda somos uma chula capitania hereditária, querido amigo... só que mais brega ainda!

Todo mundo é filho de alguém, sobrinho de fulano, neto de beltrano, amigo ou amante de sicrano. E varados de um orgulho baseado nessa permissividade brincalhona e salafrária, nesse eterno oba-oba rebolativo, nessa violência carnavalizada, nessa incrível habilidade de torcer os fatos e trapacear sempre, lá vai o Brasil descendo a ladeira.

Por isso é que te enchi tanto o saco durante todo o nosso papo. O buraco é bem mais embaixo e, infelizmente, você tem toda razão: a nossa independência ainda não foi proclamada. Estamos presos, atávicos a um passado delirante e irrefutável. A uma autoimagem delirante e irrefutável.

E o seu desfecho, como não poderia deixar de ser, retumba crivado por mais um sonoro contra, não é verdade?... "Contra a realidade social, vestida e opressora, cadastrada por Freud — a realidade sem complexos, sem loucura, sem prostituições e sem penitenciárias do matriarcado de Pindorama.

Oswald de Andrade, em Piratininga,
ano 374 da Deglutição do Bispo Sardinha."

Olha, Oswald, eu quero te agradecer do fundo do meu coração por permitir, mesmo sem saber, poder escrever essa carta, pela minha invasão, por permitir sentir sua presença tão próxima, tão familiar, tão acolhedora em meio ao atrito, à discordância, à turbulência do embate e, no meio disso tudo, poder te dizer sem a menor ironia que te amo.

Como falei anteriormente, você é um cara único, genial, um vulcão, um apaixonado, uma criatura adorável, cheio de ideias admiráveis, com uma abastada cultura do mundo, do nosso país, da nossa história.

Mas eu te digo, repetindo o que já afirmei várias vezes, só para finalizar: você ficaria apavorado ao testemunhar a asfixia intelectual, cultural e ideológica, o ufanismo vagabundo, descabido e paralisante, a morte da complexidade, da vontade, da ousadia, da excelência, da memória em detrimento do simplório, da preguiça, do acanhamento, da precariedade, da amnésia, que seus conceitos e fundamentos, lamentavelmente, ajudaram a chancelar, e continuam ajudando a promover esse estado de suspensão perpétua na alma dos filhos dessa terra que deveria ser reconhecida por... Pendurama. Pendurama do Garrote Vil, Vil, Vil!

Vontade de potência é algo que não rola por aqui de jeito maneira, Oswald.

A bundamolice comportamental, a flacidez filosófica e a mediocridade nacionalista se espraiam hegemônicas. Todo mundo por aqui almeja ser funcionário público, militante de partido, intelectual subvencionado pelo governo ou celebridade de televisão, amigo. Com exceção de meia dúzia de três ou quatro que, via de regra, são caçados como ratazanas subversivas, ou melhor, no jargão em voga, como porcos reacionários, e eu sou um deles.

E quer saber?... Às vezes, mesmo morando na filosofia, somos compelidos a rimar amor e dor e é isso aí.

Vamos sair para beber alguma coisa, vamos para o centro da cidade, para a noite iluminada da sua tão querida cidade, que, também agora, é um pouco minha e, depois de uma grande festa, depois de alguns antológicos papos de botequim, meu amigo, meu irmão, você me dará um forte abraço, eu te darei outro e, juntos, vamos para o espaço!

Lobão, São Paulo, um ano após o
fatídico fim do mundo, 2013 A.D.

FIM

GLOSSÁRIO

Ano 374 da Deglutição do Bispo Sardinha: Oswald constrói uma nova marcação temporal para a existência brasileira, que começaria no primeiro ato antropófago de que se tem notícia em nossas terras: em 1556, o bispo Sardinha naufragou no litoral do Nordeste e foi devorado pelos caetés.

Cabo Finisterra: acidente geográfico localizado na Espanha, citado como referência às grandes navegações ibéricas iniciadas no século XV.

Caraíbas: foram os primeiros nativos americanos a travar contato com os portugueses, no século XV, e os primeiros a serem escravizados. Eram antropófagos. Foram dizimados por doenças e pelos maus-tratos decorrentes da escravidão.

Catarina de Médicis (1519-89): nascida em Florença, casou-se com Henrique II e se mudou para a França, onde foi coroada rainha. Foi a responsável por somar novos elementos aos hábitos franceses tradicionais. Por exemplo, não se tinha o hábito de usar talheres durante as refeições até a sua chegada.

Catiti Catiti/ Imara Notiá/ Notiá Imara/ Ipeju: poema indígena. Traduzido por Couto Magalhães como: "Lua nova, ó lua nova! Assoprai em fulano lembranças de mim."

Cobra grande: é o espírito das águas segundo a mitologia indígena. Inspirou o poema "Cobra Norato" (1931), de Raul Bopp.

Cornélia Graco: esposa de Tibério Graco e mãe de Tibério e Caio Graco. Símbolo de conduta irrepreensível, de mãe educadora, de virtude e retidão moral. Seus filhos tornaram-se os mais honestos e ilustres de todos os romanos de seu tempo.

Cruzado: moeda portuguesa fabricada com ouro e prata.

D. João VI (1767-1826): rei de Portugal que fugiu para o Brasil na época da invasão das tropas napoleônicas. Foi para o Rio de Janeiro com toda a sua corte.

Elite vegetal: referência àqueles que copiavam os modelos europeus. O "vegetal" faz analogia a seres sem mobilidade ou capacidade crítica para mudanças.

Galli Mathias: o termo "galimatias" significa discurso confuso ou obscuro.

Goethe (1749-1832): romancista, filósofo, poeta e dramaturgo. Um dos maiores escritores da língua alemã. É de sua autoria a frase "O declínio da literatura indica o declínio de uma nação".

Guaraci e Jaci: divindades indígenas equivalentes ao Sol e à Lua, respectivamente. Representam os princípios que controlam o mundo.

Hermann Keyserling (1880-1946): primeiro pensador moderno a conceber e promover a cultura planetária, além do nacionalismo e do etnocentrismo cultural, baseado no reconhecimento do valor e da validade das culturas e filosofias não ocidentais. Criou a expressão "bárbaro tecnicizado".

Índio de tocheiro: afilhado de Catarina de Médicis e genro de d. Antônio de Mariz. Ao fazer referência a personagens extraídos de contos indianistas, Oswald mostra a rejeição indígena à civilização branca e cristã ocidental.

Iracema: personagem do livro homônimo de José de Alencar e ícone de brasilidade no auge do romantismo.

Jabuti: quelônio que habita as matas brasileiras. De acordo com as religiões indígenas, representa a perseverança e a força.

José de Anchieta (1534-97): padre jesuíta espanhol que veio para o Brasil no início da colonização a fim de catequizar os índios.

Lucien Lévy-Bruhl (1857-1939): filósofo e sociólogo francês. Estudou as sociedades primitivas para provar que a moral era ditada pelas épocas históricas e pelos grupos sociais.

Maria da Fonte: camponesa que, em 1846, comandou uma revolução contra a opressão político-econômica do reinado de Maria da Glória, em Portugal.

Padre Antônio Vieira (1608-97): jesuíta nascido em Lisboa, grande orador, de ideias avançadas para seu tempo. Oswald o menciona no contexto da investida político-econômica portuguesa na exploração do açúcar maranhense, que beneficiou apenas a metrópole e deixou a colônia em situação de miséria.

Pindorama: "terra de palmeiras", em tupi.

Piratininga: nome indígena da região onde nasceu posteriormente a cidade de São Paulo.

Serge Voronoff (1866-1951): cirurgião russo que viveu na França e ficou famoso como especialista em enxertos e experimentos glandulares para aprimoramento de raças de animais.

Visconde de Cairu (1756-1835): José da Silva Lisboa, economista e político liberal brasileiro, contrário à permanência dos jesuítas no país.

William James (1842-1910): filósofo norte-americano ligado ao pragmatismo e um dos fundadores da psicologia moderna.

BIBLIOGRAFIA

AMPUERO, Roberto. *Nossos anos verde-oliva*. [S.l.]: Benvirá, 2012.

ANDRADE, Mário de. *Macunaíma*: o herói sem nenhum caráter. Rio de Janeiro: Agir, 2007.

ANDRADE, Oswald de. *A utopia antropofágica*. São Paulo: Globo, 2011.

______. *Estética e política*. São Paulo: Globo, 1992.

______. *Pau Brasil*. São Paulo: Globo, 2003.

______. *Ponta de lança*. São Paulo: Globo, 2004.

ANTUNES, Edvan. *De caipira a universitário*: a história de sucesso da música sertaneja. São Paulo: Matrix, 2012.

AZEVEDO, Reinaldo. *O país dos petralhas II*: o inimigo agora é o mesmo. Rio de Janeiro: Record, 2012.

BITTMAN, Ladislav. *The KGB and Soviet Disinformation:* An Insider's View. [S.l.: s.n.], 1985.

BLOCK, Walter. *Defendendo o indefensável*. São Paulo: Instituto Ludwig von Mises Brasil, 2011.

CAMARGOS, Marcia. *Semana de 22*: entre vaias e aplausos. São Paulo: Boitempo, 2002.

CARVALHO, Olavo de. *Imbecil coletivo II*. São Paulo: É Realizações, 2008.

______. *O futuro do pensamento brasileiro*: estudos sobre o nosso lugar no mundo. São Paulo: É Realizações, 2007.

______. *O jardim das aflições*. São Paulo: É Realizações, 2000.

CHARLES, Sébastien. *Cartas sobre a hipermodernidade*: ou o hipermoderno explicado às crianças. São Paulo: Barcarolla, 2009.

CHESTERTON, G.K. *O homem eterno*. São Paulo: Mundo Cristão, 2010.

COELHO, Frederico. *A semana sem fim*: celebrações e memória da Semana de Arte Moderna de 1922. Rio de Janeiro: Casa da Palavra, 2012.

CONSTANTINO, Rodrigo. *Privatize já*: pare de acreditar em intrigas eleitorais e entenda como a privatização fará do Brasil um país melhor. São Paulo: Leya Brasil, 2012.

DAMATTA, Roberto A. *O que faz o Brasil, Brasil?* Rio de Janeiro: Rocco, 1997.

DIEHL, Daniel; DONNELLY, Mark P. *Devorando o vizinho*: uma história do canibalismo. São Paulo: Globo, 2007.

EAGLETON, Terry. *Marx estava certo*. Rio de Janeiro: Nova Fronteira, 2012.

ENGELS, Friedrich; KARL, Marx. *Manifesto comunista*. São Paulo: Boitempo, 1998.

FONTOVA, Humberto. *Fidel*: o tirano mais amado do mundo. São Paulo: Leya Brasil, 2012.

______. *O verdadeiro Che Guevara*: e os idiotas úteis que o idolatram. São Paulo: É Realizações, 2009.

GABEIRA, Fernando. *Onde está tudo aquilo agora?*: minha vida na política. São Paulo, Companhia das Letras, 2012.

GAVA, Gustavo Luiz. *O último desejo de Freud*: requiem à teoria do inconsciente. Coleção Noergologia. Curitiba: Juruá, 2010.

GIULIANI NETO, Ricardo; MACHADO, Gustavo. *Não somos tão bacanas assim*: uma conversa sobre a política que decidimos calar. Porto Alegre: Dublinense, 2012.

GONÇALVES, Marcos Augusto. *1922*: a semana que não terminou. São Paulo: Companhia das Letras, 2012.

HALLIDAY, Jon; CHANG, Jung. *Mao*: a história desconhecida. São Paulo: Companhia das Letras, 2006.

HOROWITZ, David. *Hating Whitey and Other Progressive Causes*. Dallas: Spence, 2000.

IOSCHPE, Gustavo. *O que o Brasil quer ser quando crescer?*: e outros artigos sobre educação e desenvolvimento. São Paulo: Paralela, 2012.

JIMENEZ, José Vargas. *Bacaba:* memórias de um guerreiro de selva da guerrilha do Araguaia. Campo Grande: José Vargas, 2007.

______. *Bacaba 2*: toda a verdade sobre a guerrilha do Araguaia e a revolução de 64. [S.l.: s.n.].

LIPOVETSKY, Gilles. *A felicidade paradoxal*: ensaio sobre a sociedade do hiperconsumo. São Paulo: Companhia das Letras, 2007.

______. *A sociedade pós-moralista*: o crepúsculo do dever e a ética indolor dos novos tempos democráticos. São Paulo: Manole, 2005.

LIPOVETSKY, Gilles; CHARLES, Sébastien. *Os tempos hipermodernos*. São Paulo: Barcarolla, 2004.

MAGALHÃES, Mário. *Marighella*: o guerrilheiro que incendiou o mundo. São Paulo: Companhia das Letras, 2012.

MAGNOLI, Demétrio. *Uma gota de sangue*: história do pensamento racial. São Paulo: Contexto, 2009.

MICELI, Sergio. *Vanguardas em retrocesso*. São Paulo: Companhia das Letras, 2012.

MORIN, Edgar. *O problema epistemológico da complexidade*. 3. ed. [S.l.]: Europa-América, 2002.

NARLOCH, Leandro. *Guia politicamente incorreto da história do Brasil*. São Paulo: Leya Brasil, 2011.

NARLOCH, Leandro; TEIXEIRA, Duda. *Guia politicamente incorreto da América Latina*. São Paulo: Leya Brasil, 2011.

NOSSA, Leonencio. *Mata!*: o major Curió e as guerrilhas no Araguaia. São Paulo: Companhia das Letras, 2012.

OITICICA, Hélio; D'ALMEIDA, Neville. *Cosmococa*: programa in progress. [S.l.: s.n.], 2005.

OLIVEIRA, Franklin de. *A semana de arte moderna na contramão da história e outros ensaios*. Rio de Janeiro: Topbooks, 1993.

ORTIZ, Renato. *A moderna tradição brasileira*: cultura brasileira e indústria cultural. São Paulo: Brasiliense, 1988.

______. *Cultura e modernidade*. São Paulo: Brasiliense, 1999.

PAIM, Antonio. *Marxismo e descendência*. Campinas: Vide, 2009.

PATARRA, Ivo. *O chefe*. [S.l.: s.n.], 2010.

RAFFY, Serge. *Fidel Castro*. São Paulo: Babel, 2011.

RAMOS, Graciliano. *Linhas tortas*. São Paulo: Martins, 1962.

RIBEIRO, José Hamilton. *Música caipira*: as 270 maiores modas de todos os tempos. São Paulo: Globo, 2006.

SAFATLE, Vladimir. *A esquerda que não teme dizer seu nome*. São Paulo: Três Estrelas, 2012.

SCHOMMER, Aurélio. *História do Brasil vira-lata*: as razões históricas da tradição autodepreciativa brasileira. Bahia: Casarão do Verbo, 2012.

TSÉ-TUNG, Mao. *On Practice and Contradiction*. Introdução de Slavoj Žižek. Londres: Verso, 2007.

WAACK, William. *Camaradas*: nos arquivos de Moscou — a história secreta da revolução brasileira de 1935. São Paulo: Companhia das Letras, 2004.

ZAMBONI, Paulo Diniz. *Conspiração de portas abertas*: como o movimento revolucionário comunista ressurgiu na América Latina através do Foro de São Paulo. São Paulo: É Realizações, 2008.

ŽIŽEK, Slavoj. *A visão em paralaxe*. São Paulo: Boitempo, 2008.

______. *In Defense of Lost Causes*. [S.l.]: Verso, 2009.

EDITORA RESPONSÁVEL
Cristiane Costa

PRODUÇÃO
Adriana Torres
Ana Carla Sousa

PRODUÇÃO EDITORIAL
Mônica Surrage

PREPARAÇÃO DE TEXTO
Gabriel Machado

REVISÃO
Eduardo Carneiro

PESQUISA BIBLIOGRÁFICA
Amanda Braz
Tatiana Rodrigues

PROJETO GRÁFICO E DIAGRAMAÇÃO
Celina Faria

Este livro foi impresso no Rio de Janeiro, em abril de 2013, pela Edigráfica, para a Editora Nova Fronteira. A fonte usada no miolo é Iowan Old Style, corpo 10,5/14,5. O papel do miolo é avena 80g/m², e o da capa é cartão 250g/m².